達達馬蹄到漢朝

文／王文華　圖／L&W studio
審訂／中央研究院歷史語言研究所助研究員 劉欣寧

目錄

人物介紹 …… 4
楔子 …… 8
1、地圖室 …… 18
2、我們把太陽救回來了 …… 27
3、兩個傻瓜 …… 48
4、纖細綠竹，蔡頭好迷 …… 60
5、試一次不夠，再試一次 …… 71
6、英雄村看燈影戲 …… 78
7、投筆從戎紀念筆 …… 87

8、「不入虎穴，焉得虎子」餐 92
9、英雄的地圖 98
10、東漢的地圖 110
絕對可能會客室 113
絕對可能任務 125
作者的話 130
審訂者的話 134
推薦人的話 136

人物介紹

機車老師

體型手長腳長，活蹦亂跳像螳螂，原是最受歡迎的熱門樂團主唱，這學期莫名其妙擔任可能小學六年級社會科老師。有人問起：他懂得怎麼教學嗎？嗯，這個問題很好，但沒人在意，因為連校長都變成瘋狂粉絲，只想跟他要簽名照。

潘玉珊

可能小學六年級學生，有一頭暗紅色的頭髮，和一顆永不止息的好奇心。小四那年跟爸爸騎單車環島；小五爬玉山還游泳橫渡日月潭。目前，她把眼光朝向喜馬拉雅山，勤練攀岩和滑雪，只等暑假，她就要立即出發。

畢伯斯

可能小學六年級學生，崇拜蘋果電腦的賈伯斯。多才多藝，除了是陶藝社社長，還幫話劇社用B-box做配樂。熱愛可能小學，因此患有嚴重的可能小學畢業生症候群，一想到要畢業了，他就煩惱。

張大俠

張大俠的本名叫張衡。擔任太史令時專門研究星星，這一研究就是十幾年；幾次升官的機會來了，他也寧可放棄。最近他發明一種機器，據說能測出哪裡發生地震；大家原本都不相信他，直到有一天，龍嘴裡吐出一顆珠子……

書鋪老闆

書鋪老闆有一屋子的書，雖然坐擁書城卻不怕小偷，因為書太重，小偷偷不走。你想跟他買書嗎？請自備牛車來；如果找不到牛車也沒關係，他會請牛車快運替你把書拉回去。

蔡頭

蔡頭當然不是種在田裡的菜頭，也不是關東煮的那種菜頭。蔡頭是一個人，他負責幫皇上研究改良用品。聽說他最近在研究一種新東西，只要做出來了，就能轟動武林、驚動萬教——那是什麼東西呢？趕快翻開書吧。

老甘

老甘在班家村表演燈影戲，他的戲都在講英雄，不管是「班英雄投筆從戎」，還是「投筆從戎的班英雄」，都是叫好又叫座。如果你看膩了，這個戲館裡還有許多「投筆從戎筆」可以買回去當紀念品。

楔子

天哪！

潘玉珊快崩潰了。

她想上課，但是機車老師正在臺上蹦蹦跳跳的唱歌；手長腳長的他，拿麥克風的方式，像螳螂在揮動鐮刀。講臺下的同學簡直發瘋，跟著一起搖頭晃腦加跺腳。

機車老師是可能小學新來的社會老師。

「好不好聽？」機車老師把麥克風伸向臺下。

「我不想聽！」潘玉珊大吼。

可惜，她吼得再大聲，也吼不過全班三十六人外加走廊上的學生、家長和老師。

「太好聽了。」全部的人尖叫著。

「這是什麼社會呀？」潘玉珊吼出這一句。

「這是可能小學的社會呀！」她的好朋友畢伯斯說。

畢伯斯很喜歡這種課程——想一想，哪一所小學的社會課，能請來熱門樂團主唱上課？「只有在可能小學，才有這種不可能的課！」

「今天的演唱在此告一段落，感謝各位來賓熱情鼓勵。」機車老師在臺上說。

「這還差不多。」潘玉珊說。

「安可、安可、安可。」眾人狂喊。

喊得最大聲的是校長：「你再唱三天三夜，我也覺得不夠。」

校長的話引來更多口哨、尖叫加拍手。

「不不不，」機車老師難得的搖搖頭，「我是老師，我得上課。」

「謝謝你，你終於想起你的職責了。」潘玉珊遞上課本、習作與教學光碟。

機車老師上課時，很機車的。

學生抬頭挺胸，眼睛緊追著他，有問題要舉手，卻不保證機車老師會叫到你。

更機車的是，他不寫黑板，因為他常常寫錯字，被學生發現時會當作沒有這回事。

不照課本上課，想講什麼就講什麼。

上上週介紹巴西，他說自己曾去那裡開過演唱會。

上週談的是某家新聞臺的記者小姐身材很辣，他很喜歡。

這週講到警察制度根本沒有必要，此事全因他收到一張違規的紅單而起。照機車老師的講法是：不受課本的束縛才是好老師應有的能力。

依據潘玉珊的看法是：機車老師好像沒有當老師的能力。

機車老師心情好時，電吉他一彈，開始唱歌；心情不好，電吉他一摔，放著整間教室的學生和粉絲揚長而去。

冬漢
機車老師不僅上社會課不認真，連國文程度都大有問題……

今天，機車老師的心情是藍天，燦爛如三月。

他講起當年，像在訴說一則遙遠的傳奇故事……當年，他從鄉下坐火車到繁華的都市，身上揣著五十元，路過福隆，吃了一個七十元的便當。

潘玉珊提醒他：「老師，你身上的錢不夠。」

「我沒點名，你不能發問。」機車老師繼續懷念當年，「到了熱鬧的臺北，我買不起麥當勞超值全餐，只能點個麥克漢堡。」

潘玉珊問：「買了便當，又買漢堡，可是你只有五十塊錢？」

這回機車老師根本不理她，「站在車水馬龍的臺北，我立下一個志願：有一天，我要在這裡出人頭地。」

「請問，」潘玉珊又發現問題，「這件事和我們上的課程有什麼關係？」

「感人哪！」校長搶著發出一聲讚嘆，眼角帶兩滴眼淚。

「我怎麼沒感覺，」潘玉珊說：「老師，你要上課了，別再講當年。」

「你別吵！」身旁的同學紛紛制止她，「他是偶像呀。」

幾個同學邊擦淚水邊抄筆記——仔細一瞧，那些人全是裝扮成學生的家長。

「我身上雖然只有五十塊錢，只能去租最便宜的公寓。哦，講到那間公寓——它的地板有蟑螂，天花板有老鼠；但是沒關係，我買了一部二手摩托車，到自助餐廳當廚師，這一做就是五年……」

潘玉珊忍不住發出一聲長嘆：「神啊，他的五十塊錢到底可以用多久呀？」

「我在社會的底層當廚師，手裡拿著鍋鏟，每天對著大鍋小鍋炒菜鍋，煮給三教九流的社會人士吃。啊，轟轟烈烈～」

「啊，轟轟烈烈呀～」滿場的人們跟著狂喊。

「哪裡轟烈啦？」潘玉珊不解。

「快速瓦斯爐點下去，爐火轟轟響；空心菜放油鍋裡，油鍋烈烈響。」機車老師的手在電吉他上一撥，「轟轟烈烈呀。」

「炒菜是『滋滋響』。」潘玉珊糾正他，「狀聲詞都弄錯了。」

四周的人瞪著她說：「別吵！我們要聽社會。」

「這不是社會。」潘玉珊很生氣。

「這就是社會，黑暗的社會，」機車老師說：「我上大夜班，天天從黃昏炒到天黑，黑暗的社會。」

「那你到底上不上課呀？」潘玉珊追問。

「直到那一天……」

「哪一天？」大家問。

「我正在煎一條鯉魚，火太大，油太熱，熱油燙到我的臉。藉由那滴熱油，我想通一個道理：想在黑暗的社會立足，我一定得奮發向上。」

機車老師跳上學生的桌子，女生放聲尖叫；他將電吉他朝向天花板說：「我丟掉鍋鏟，拿起吉他，開始唱歌……」

「好偉大。」大家狂喜。

「你應該丟掉電吉他，拿起粉筆，開始上課。」潘玉珊很不滿。

大家立刻說：「他應該丟掉粉筆，繼續唱歌。」

機車老師在吉他上一彈，蹦出一串輕快的音樂。

「你要上課了。」潘玉珊說：「我要聽課。」

「上課不重要，但是如果你堅持——我們該上哪一課了？」

機車老師難得這麼問，或許是他那些黑社會的故事都講完了。潘玉珊不給他反悔的機會，飛快翻開課本說：「啊，是東漢。現在，你應該上東漢的歷史。」

「東漢？」機車老師笑一笑：「沒有地圖，沒有辦法上課。我們那個年代呀……」

天哪，一聽機車老師的口氣，難道他又要「想當年」了？

潘玉珊急忙自己舉手說：「老師，我替你去找地圖。」

「太好了，這位同學。」機車老師笑得魚尾紋全皺成一團，「記得以前我們小時候，只要老師說……」

果然，他又要開始話當年了。

潘玉珊拉著畢伯斯，頭也不回的跑出教室。

後頭傳來機車老師的話：「你們如果沒找到地圖，就不必回來了。」

果然很機車。

1 地圖室

在可能小學裡，沒有不可能的事。

這句話說起來沒錯。

可能小學有間博物館，收藏過去與未來的寶藏。

這所小學也有間模型室，世界任何一個角落，都被縮小放進去。

最先進的科技設備，可能小學也有。

但是，一間地圖室？

用投影機就能輕鬆打出兩百吋四D雷射虛擬實境的學校，要兩個學生找一張舊地圖？

怎麼可能？

但是，別忘了：在可能小學裡，沒有不可能的事。

地圖室隱藏在地下三層的停車場角落。

油膩膩的大門，不知道被誰踹破一個洞；上面一個噴漆噴出來的骷髏頭微笑的望著他們。

他們來過這裡——不久之前，潘玉珊和畢伯斯進去裡頭找出一張戰國的地圖；現在，那張戰國地圖被放進可能博物館裡。

而今天……

畢伯斯用力轉動門把，門拉不開。

潘玉珊幫忙——她是攀岩高手，力氣大，不管是鐵捲門還是不鏽鋼門，沒有她拉不開的門。

但是這門……

這門好像被一股力量吸住了，門把轉動了，門卻一動也不動。

她和畢伯斯使出吃奶的力氣，這才用力把門給拉開。

門裡頭，有股強大的吸力——上回來時，明明沒有啊——他們幾乎不需要走路，就莫名其妙的進了地圖室。

「砰」，門重重的閤上。讓人想不到的是，地圖室裡怎麼有風——群魔亂舞般的狂風，繞著潘玉珊和畢伯斯轉。是誰忘了關電風扇？

潘玉珊舉步維艱，好不容易摸著牆壁，找到電燈的開關。

「啪」，地圖室裡唯一的燈泡亮了。它在強風裡左右搖晃，幅度之大，比高空彈跳還驚人；一下盪高，一下擺低，眼看就要撞到天花板了，幸好又被風帶回來。

光線忽明忽暗，他們的影子忽大忽小。

奇怪的是，地圖室裡根本沒有電風扇；這裡四面是牆壁，沒有窗，又是哪裡來的風？

畢伯斯指指旁邊的架子，風就從那裡吹出來。不知道是哪張地圖闖的禍，一股股氣流就從地圖架子吹起，大大小小的地圖，東一張西一張飛舞著。

一張小小的地圖迎面貼在畢伯斯臉上，什麼東西狂亂的拍打著他的臉，細細麻麻，讓人慌亂不已。

畢伯斯把地圖拿下來。那是一張加拿大雁的飛行路徑圖，拍他的是那群大雁，因為畢伯斯的額頭擋住牠們的路線。

潘玉珊爬過大雪山，這種風對她來說是小意思；她一手拉著地圖室的架子，一手在空中抓起地圖，一一檢視。

「減肥地圖！」

「人造衛星分布圖！」

「中古世紀黑魔法勢力配置圖！」

「一百家米其林五星餐廳指南！」

「怎麼沒有東漢時期的地圖？」她大叫。

「什麼地圖？」畢伯斯問。

「東漢，東漢時期的地圖。」潘玉珊吼著，用手將一堆掃把推開——

那是從黑暗世紀女巫分布圖掉出來的。

掃把狂舞中，好像傳來「達達」的馬蹄聲響。

哪裡來的馬蹄？

「砰」的一聲，那盞電燈撞到天花板，燈滅了。

地圖室瞬間伸手不見五指。

「你在哪裡呀？」畢伯斯在風裡問著。

120° 70.169
40° 3.0128
7° 8.129
37° 8.07
NE 39°
23° 41.77

「你沒聽見嗎？」潘玉珊的聲音被吹得斷斷續續的。

馬蹄聲更近了。如果真的有一匹馬跑進來，牠連轉身都不容易吧？

更何況，不知道有多少匹馬，「達達達達達」的來了。

不會有馬跑進地圖室的，這裡的空間這麼小。

兩人手拉著手，在地圖室裡向前摸索——總要先找到門，就著門外的光線，才能弄清楚發生什麼事。

但是，門在哪兒呢？

這麼狹小的地圖室，頂多走幾步就該碰到牆壁了吧？

他們往前走，至少走了幾十步，甚至上百步，應該出現的牆卻一直沒出現——難道牆會玩捉迷藏？

風更強了，空氣變冷了——他們走出地圖室了？

前頭，出現一個細微的光點。

黑暗裡的光有魔力，讓他們恍恍惚惚、身不由己的，自動朝著光點前進。「達達」的馬蹄聲，就來自那個光點。

四周愈來愈亮，伴著陣陣吵雜的聲響，他們同時感覺一股微弱的電流，從腳指頭傳到了頭頂。

他們互看一眼，同時跨步，走進了一座城。

灰撲撲的城牆，灰撲撲的天空。

這是怎麼一回事呢？

當他們踩進一條石板街道，想再回頭，來時的路已經消失了。

彷彿他們本來就該站在那兒似的。

東漢

西漢末年，王莽竄了王位成立新朝。

新朝的壽命不長，很快就被漢光武帝劉秀推翻，建立了東漢。

劉秀是貴族後代，祖先曾是王爺，但是到了他這一代，已經成了平民百姓。劉秀二十八歲之前，曾經在老家種田；史書上說他「性勤于稼穡」，意思是他很會耕種農作，是個好農夫。

劉秀還是農夫時，有一天他見到京城的執金吾——守衛京城的將軍——出巡，出巡時有數百名衛兵開道、守護。劉秀忍不住說：「仕宦當作執金吾，娶妻當娶陰麗華。」意思就是，如果要當官，就要當到執金吾，出門才有如此龐大的排場；如果娶太太，就要娶遠近聞名的大美女陰麗華。

這是劉秀人生的兩大目標。但他只是個小老百姓，可能成功嗎？

不久之後，劉秀加入了綠林軍，參加推翻王莽的行動。他第一次參加戰爭，買不起馬，只能騎著耕田的老牛衝鋒陷陣；後來他成功建立東漢，就被人稱做「牛背上的開國皇帝」。

這個牛背上的開國皇帝頭腦聰明，判斷準確，還娶了陰麗華。他與陰麗華相親相愛，是歷史上少見的恩愛皇室夫妻檔。

劉秀做皇帝，優待功臣，不濫殺無辜；他對內修養生息，對外不亂打仗。他開創了東漢兩百年的歷史，全因他當年立的志，是不是很神奇？

超時空傳聲筒

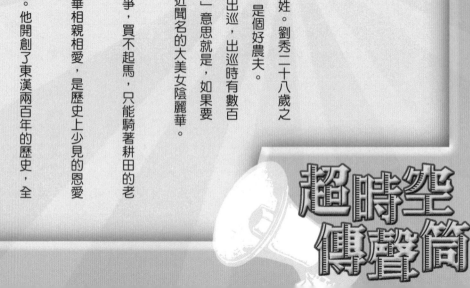

2 我們把太陽救回來了

光線矇矇的，像白天，感覺也像黑夜。

「達達」的馬蹄聲更近了。

近到就像在眼前。

畢伯斯還弄不清楚怎麼回事，前頭那團灰暗裡衝出幾匹馬，帶頭的馬看見他，竟然前腳騰空立了起來。

畢伯斯嚇得手足無措，潘玉珊眼明手快，把他拉到一旁。

馬上的騎兵穿著盔甲，他厲聲喝道：「聖主有令，鳴鑼放炮，驅妖除孽，速速急行。」

「聖主有令，鳴鑼放炮，驅妖除孽，速速急行。」後頭的騎兵跟著大喊。

潘玉珊和畢伯斯互相看了看，本來人在地圖室，這會兒……

看來，可能小學的地圖室，又把他們送回古代了。

「這位大哥，請問一下，這是哪一個朝代？」

騎士沒看到潘玉珊舉起來的手，他揮了揮馬鞭，一整隊的騎兵揚長而去。

路上的行人一等騎士宣布完，他們拔腿就跑。

「快快快，慢了來不及，快拿鐵鍋和鐵鏟，敲鑼放鞭炮。」

像演舞臺劇似的，熱鬧的街霎時冷清了，只剩下幾隻烏鴉在屋頂上「嘎嘎」的叫。

潘玉珊和畢伯斯東張西望，不知道該往哪裡去。

還好，很快的，又有人出來了：三個壯漢扛著銅鑼，後頭跟著一群拿小鑼的人。

年輕人在家門口掛鞭炮；老奶奶和小媳婦拿出鍋碗瓢盆；更多的人站在家門前觀望。

畢伯斯好奇的問：「他們在演戲呀？」

潘玉珊正想拉個老婆婆問，她才剛踏出一步，老婆婆就把家門口的鞭炮點燃了。

劈里啪啦，整條街的人像是同時接到了暗號，家家戶戶都在放鞭炮；姑娘、奶奶們敲鍋子、打盆子，對著木門又踢又拍。

銅鑼咚咚響，大鑼小鑼哐哐哐。

畢伯斯問：「一定是迎神賽會，不知道是媽祖或天公生日？」

「看起來不像。」潘玉珊遲疑的說：「如果是迎神賽會，會有神轎，會有舞獅舞龍，人們的表情會很快樂。」

但是，街上的人看起來很擔憂，他們望著天空，不斷的喊：「天狗別吞了日頭；天狗別吞了日頭。」

畢伯斯覺得吵，吵得他頭昏眼花受不了。

潘玉珊順著大家的眼光往上瞧，她只看了一眼就笑了：「唉呀，全是呆子。」

「呆子？」畢伯斯問。

「這些人不懂科學，」潘玉珊說：「他們以為是妖怪來了，其實只是……」

「日食。」有人接過潘玉珊的話，「這是日

食，天上的月亮暫時遮住陽光，不是妖魔，更無天狗。」那是個身材極高的老爺爺，說話的樣子卻像個自然老師：「各位鄉親，大家切勿擔心，這是正常的現象，依老夫的推論，再過……」

缺牙老伯不讓他說完，「太史令，天狗把太陽吞下去了呀。」

白髮老奶奶說：「不不不，是天上的火龍，火龍吃了太陽。」

光頭老爺爺更是危言聳聽：「你們都錯了，一定是天神發怒，天神把太陽拿走了。」

更多的人笑那個太史令：

「你做了十幾年的太史令，做到老糊塗了，連眼前的災難都看不出來嗎？」

太史令不理他們的嘲笑，派人搬來一個儀器。畢伯斯湊近了看，發現它像一個竹編的圓球，上頭刻滿度數；這圓球安在一個架子上，轉動自如。畢伯斯喜歡模型，他輕輕推了推球，它們立刻靈巧的轉起來；他不禁想：這是哪一朝的人呀，能做出這麼精細的儀器。

太史令指著銅球解釋：「太陽、月亮……這是我們大漢。」

聽到「大漢」，畢伯斯和潘玉珊互相看了一眼——他們真的回到東漢找地圖了。

這個模型的比例有點怪怪的，太陽太小，月亮太大；但是，當太史令把太陽、月亮和地球擺成一直線的時候……

「看到了吧，月亮就會遮住太陽——是月亮遮住太陽，不是天狗吞掉太陽。」

潘玉珊拍拍手說：「太史令爺爺，你說的我們學校有教過，不過，你教得比我們老師還清楚。」

太史令捋了捋鬍子說：「老夫觀看星相幾十年，不是看假的。」

一個道士走過來，凶巴巴的趕人：「大家別聽太史令胡說八道，趕快敲鑼，加緊放炮。天狗不趕走，太陽不出頭，今年咱們洛陽城裡絕對是雞遭瘟，人遭殃，風不調來雨不順！」

他說完，搖搖鈴，拿起木劍作法。

四周的和尚跟著敲木魚，念佛經。

老奶奶們催著大家敲鑼打鼓放鞭炮。

霎時，念經搖鈴放炮敲鑼，聲音恐怖又熱鬧。

太史令搖搖頭：「村夫村婦，頑固不靈。」

潘玉珊拉拉他說：「爺爺，你別生氣，我覺得你講得好，比我們機車老師好一百倍，乾脆你到我們學校教書好了。」

「對，模型也做得好。」畢伯斯最愛這種手工藝品，他摸摸轉轉，有一大堆問題想要問，像是：球上刻度那麼細，是怎麼刻的？如果拿這種竹片來做公仔，他會有什麼建議⋯⋯，最重要的是：「你還有什麼好東西，可以讓我看看嗎？」

太史令一聽，笑得好開心，「別什麼爺爺長爺爺短的叫了，我叫做張衡，認識我的朋友都叫我大俠。走走走，大俠帶你們去參觀靈臺。」

潘玉珊勾著他的左手，畢伯斯拉著他的右手，三個人嘻嘻哈哈的正想走，街道邊傳來一陣「走了走了」的叫聲。

說話的是一個正在作法的道士。

「不用催，我們正要離開。」潘玉珊說。

張大俠還補了一句：「即便你們拉我，老夫也不想留下來。」

「不是，」道士洋洋得意的說：「天狗被我趕走了，我替大家把陽光要回來了。」

一旁的和尚不服氣：「瞎說什麼呀，分明是我的『降魔伏妖經』顯現出大功效。」

「那是我們的鞭炮夠吵。」幾個老奶奶抗議。

一個壯漢大吼：「沒有我敲鑼，太陽能出來嗎？」

路旁百姓歡天喜地的說：「沒關係，能把太陽救出來，大家都有功勞。」

張大俠搖搖頭：「恭喜你們救回了太陽，可喜可賀又……可笑。」

靈臺是個高高的臺子，上頭有好多儀器。

畢伯斯去過科博館，他發現這些儀器看起來有點眼熟：有個長長的管子像望遠鏡，但裡頭卻沒有鏡片；還有一個巨大的銅球，據說在特別的時刻會轉動。

「如果把它們拿去科博館展示，一定能吸引很多人。」畢伯斯這裡摸一摸，那裡看一看，嘴裡不停的讚嘆：「太美了，太壯觀了。」

「跟我來，我帶你們去看些好玩意兒。」張大俠腳步連停也不停，帶著他們進到靈臺下的屋子。

這裡，堆滿更多稀奇古怪的物品。

一輛看起來很普通的車，裡頭分成兩層，上頭坐了兩個木製的人，他們手裡拿著鼓槌。大俠說這是記里數用的車，每走一里路，他們就會敲一下鼓。

畢伯斯看得好入迷，要不是怕不禮貌，他真想爬上去研究。

張大俠等他看過癮了，說：「走走走，去看我的大發明。」

真是個愛炫耀的老爺爺。潘玉珊感覺得到他的興奮，難得遇到喜歡這些儀器的人；可惜大俠生在古代，如果他到了現代，一定會得到更多人的欣賞。

屋邊、走廊，處處堆滿奇奇怪怪的機械，畢伯斯對每個都有興趣。一輛木製馬車上，有個高高的木頭人，他的手指向前方。

畢伯斯記得，自然科學博物館裡也有一輛複製品，「這……這是指南車？」

張大俠頭也不回的說：「沒什麼，我有更棒的。」

「那這個……」畢伯斯發現一隻木頭鳥，正在天花板上飛。

「哈哈哈，心血來潮做的小東西，何足掛齒。」

「它會飛？」畢伯斯問。

「雕蟲小技，來來來，請看……」他終於停下腳步，開心的指著前面說：「我一輩子的心血，就為了完成它。」

四條銅龍中間，安放了一顆空心銅球，好多條圓型軌道正緩緩的環繞著它，每條軌道上都布滿刻度。

這是老夫最得意的發明之一，絕對獨一無二。
哇～我我我……我看到的是真品，不是複製品耶～

潘玉珊和畢伯斯同時發問：「這是……」

「渾天儀。」張大俠很驕傲，「老夫觀察星相幾十年，發現日月星辰都有自己運轉的軌道，所以我把它們全放在渾天儀上。有了渾天儀，就能觀察天空的星辰。」

畢伯斯發現，有一股水流注入渾天儀周邊的銅壺中；其中一個銅壺滿了，水壺傾斜，帶動齒輪，渾天儀就會自己緩緩轉動。

張大俠人高腳長，他一個跨步就移到了銅球的另一邊。

「當太陽來到黃經兩百二十五度，二十八星宿各自歸位，到了這天……」

潘玉珊說：「我懂了，你這是星相盤嘛，可能小學外頭的文具店就有在賣，一個五十塊錢，很便宜。」

「什麼五十塊錢？老夫的渾天儀可是很厲害的。前朝人只把渾天儀說做成一顆大銅球，想觀察星相還得自己轉動。但是老夫……呵呵，」說到這兒，張大俠好得意，「我這是用水力推動的渾天儀，它能對照轉出每一天的星空，這才是我最得意的發明之一。」

潘玉珊搖搖頭說：「原來你說了半天，就是帶我們來看這個用水推的星相盤？唉呀，你來可能小學看看吧。我們有四D虛擬實境的設備，滿天星辰，隨時可以放大縮小；放大了，看起來更清楚。」

「什麼四D？星相怎麼可能放大縮小？小姑娘愛說笑了，二十八星宿又不是變戲法，誰能改變它們的尺寸呢？如果真的要放大的話……」張大俠嘴裡雖然不相信，但卻不斷喃喃自語：「也是有可能，只是我還沒想到。天下這麼大，有這種奇人異士也不無可能……」

潘玉珊不讓他往下想，扯著他問：「張大俠，你還有什麼了不起的東西呀？」

一說到這個，他立刻眉開眼笑：「了不起的東西當然有，而且它更厲害了。」

他迫不及待的拉著潘玉珊，像個孩子似的展示自己的寶貝玩具：「你走快一點，它真的會讓你大開眼界。」

三人走進了一個房間。這個房間很特別，門上貼了十六個字：八大方位，時時小心；球落必報，切莫慌亂。

屋子正中央是個橢圓型的銅球，銅球四周有八條青龍，每條龍的嘴裡都咬著一顆小小的銅球；龍嘴下方，各有一隻張開嘴巴的蟾蜍。

「這能做什麼呢？」潘玉珊不懂。它不像渾天儀能轉動，還能當時鐘；也不如飛在空中的木頭鳥有趣。

張大俠得意的說：「這叫做候風地動儀，地震一發生，銅球就會掉下來……」

「你是說像這顆球？」畢伯斯說，從蟾蜍嘴裡掏出一顆球。

「球？」張大俠激動的問：「球掉下來了？」

「對呀，剛剛掉的。」畢伯斯的手停在半空中，他擔心：「要把它放回去嗎？」

「不不不，」張大俠拿著球，興奮的喊著：「方位是西南，快快快，我們趕快出發。」

潘玉珊聽得一頭霧水：「發生什麼事了？」

「地震，西南方有地震。」張衡跳了起來，長腳一蹦，跑到了門口，動作靈敏得像隻螳螂。他邊跑邊叫：「我的候風地動儀做好後，這是第一次測到地震。老天哪，你們還愣著呀？我們快去看看。」

坤
這顆珠子可以救很多人的性命呢！

張衡

張衡是東漢傑出的科學家。他從小好學，十五、六歲時，讀萬卷書，也行萬里路。他出外遊學，與許多大學問家變成好友。這段時間，他讀了很多關於哲學、科學、機械和繪畫的書籍，這樣多元的學習發展，使得日後張衡成為東漢時期著名的「博學」之士。

二十多歲時，張衡擔任南陽郡郡守鮑德的幕僚。期間他完成許多辭賦，像是〈同聲歌〉、〈兩京賦〉等。除了會寫文章，張衡也會畫畫，他被列為東漢六大畫家之一。

過了幾年，南陽郡守政績好，高升到京城洛陽，張衡選擇回家閉門讀書。三年後，他才進京擔任郎中。

西元一一五年，張衡升任「太史令」。太史令主管觀察日月星辰、風雲雪雨、制訂曆法的事，就像現在的氣象局局長或天文臺台長。張衡有系統的觀測天體，一做就是十幾年；他寫書，觀察星相，還發明許多儀器，為中國天文學打下良好的基礎。

張衡的成就，在世界上也受到極大的推崇。西元一九七零年，國際上用張衡的名字來命名月球背面的一座環形山；西元一九七七年，太陽系裡，一顆編號為一八零二的小行星，也用他的名字來命名。

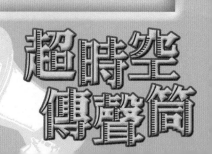

指南車／圖片提供：國立自然科學博物館

指南車方向人偶

指南車前龍頭

古人的觀星臺

古人沒有星相盤，他們怎麼看星相呢？古時候，官府建有高高的天文臺，有專門的人負責觀察各種星相；像東漢的張衡就做了十幾年的太史令，專門幫皇帝觀察星相寫報告。

在天文臺上，白天可以測量太陽影子，晚上能觀察星星。古人把天空按照東西南北分成四組，東方蒼龍、南方朱雀、西方白虎、北方玄武，配合神話造型，很容易記住。這四組方位各有七宿，每一宿都給它一個好記的名字，合計就是二十八個星相區，這就是我們在《西遊記》裡讀到的二十八星宿。按小說的寫法，二十八星宿各有一個星君守護，古人抬頭就有滿天神明看護，彷彿隨時都能與祂們打照面，是不是很有趣？

候風地動儀

東漢時期，張衡擔任太史令，除了要觀察天文之外，還要記錄地震的情形。

張衡為了掌握各地的震情，孜孜不倦的探索研究，經過六年的努力，終於在西元一三二年，製造出全世界第一架地動儀。

超時空傳聲筒

這架地動儀，是用純銅製成，直徑約兩公尺。蓋子中間隆起，整體外型很像酒樽，外圍用篆文及山龜鳥獸等圖案雕飾。

候風地動儀裡，有個精巧的結構，那是一根上粗下細的銅柱——這是地動儀的中樞機械，稱為「都柱」。地動儀外面，八個方向各鑄有八條龍，每條龍嘴裡都銜著一顆銅球；龍嘴下方又各有一隻張著嘴的蟾蜍。銅柱和八條龍嘴之間有機械連接，某個方向發生地震，當地震波到達時，都柱就會倒向那個方向，使龍嘴打開，龍嘴裡的銅球就會落到蟾蜍的嘴裡，發出「噹啷」的聲響。

管理的官員一聽到聲音，觀察銅球落下的位置，便知道發生地震的準確方位。

張衡的地動儀製作成功後，安裝在京師洛陽，但是因為一直沒有發生地震，大家都嘲笑他的發明只是個裝飾品。

西元一三四年的某一天，地動儀動了，一顆銅球落下來了；張衡向上頭稟報，可是沒有人感覺到地震，京城裡的官員責怪張衡，說他的地動儀不靈驗，沒事亂報來擾亂人心。

過了幾天，遠在甘肅隴西的官員飛馬來報，說某天甘肅發生地震，時間就是地動儀測得的那天。大家終於相信張衡，讚揚他，說他的發明了不起。

3 兩個傻瓜

自從潘玉珊參加可能小學的馬術營後，她有一段時間老纏著爸爸，讓她每個週末去馬場練習。

這會兒，她接過張大俠拋來的馬鞭，興奮的爬上馬背，招手讓畢伯斯上來。

「騎馬？」

「本姑娘罩你，你再不上來，就自己跑著去。」

「跑？」畢伯斯搖搖頭，嘀咕著：「我們為什麼不是在未來世界呢？未來的世界可以坐飛機，不必騎這種恐怖的動物……」

「你到底來不來？」潘玉珊吼他，因為張大俠已經出發了。

「好好好，你別急嘛。」畢伯斯慢吞吞的爬到馬背上，正想請潘玉珊小心點，潘玉珊馬鞭一揚，「刷」的一聲，那匹棗紅色的大馬，立刻在洛陽城的街頭「達達達」的跑了起來。

「我老早就想騎馬了。」潘玉珊興奮的在馬背上大叫，「畢伯斯，這是東漢耶，我們真的在東漢的街上騎馬耶。」

對比潘玉珊的快樂，畢伯斯雙腿夾著馬哀嚎的聲音，會讓路人以為他正被暴龍追著跑。

「你你你……別……別騎那麼快呀……」

出了城門，沿著小河，他們騎了不知道有多久，前面又是一座城；城裡的屋子東倒西歪，滿城都是痛苦哀嚎的聲音。

「候風地動儀真的有效。」張大俠急忙下馬，「真的地震了。」

他們急忙加入救人的行列。

「有了地動儀，就能早點派人來救災。」張大俠說：「老夫研究它，就為了要測量地牛翻身；想當年大家都笑我，笑吧笑吧，今天真的測到地震了。」

張大俠滔滔不絕的解釋候風地動儀的原理是什麼，裡頭有什麼精巧的機關……

潘玉珊卻好像聽見有人在呼救。

「救命呀，誰來救救我呀。」

「有人受困了！」潘玉珊衝進一間半倒的屋子裡。

畢伯斯的反應慢了點，等她衝進屋裡了，這才想起：「潘玉珊，小心一點，可能會有餘震呀。」

潘玉珊沒想那麼多，救人要緊。半垮的屋子裡，塵土飛揚，光線黯淡，有個人的腿被壓在一個架子下。潘玉珊正想動手拉他出來，那人大叫：「小心。」

潘玉珊急忙停住，說：「是你的腳痛嗎？」

畢伯斯細心的問：「先生，哪裡不舒服？」

張大俠跟在後頭問：「難道你不想出來？」

那人大吼：「不是啦，你們小心一點，別把我的書弄壞了。」

「書？」畢伯斯轉了一圈，地上除了爛竹片和破衣服外，哪來的書？

「你……天哪，你快把腳挪開，你踩到《詩經》啦。」那人的聲音渾厚有力，一點兒也不像受困的人。

畢伯斯撿起腳下的竹片，上頭隱隱約約有幾個字：「這……這是書？」

張大俠接過竹片念：「關關雎鳩，在河之洲。窈窕淑女，君子好逑。是《詩經》沒錯。」

「就這十六個字？」畢伯斯問。

那人說：「把你們腳下這些竹片全部串在一起，就是《詩經》。這可是我最愛的書，別人出再多錢，我也不賣的。」他話鋒一轉，「其它的書，你們如果想要買，今天地震大減價——想買什麼書呢？」

潘玉珊問：「你在賣書？」

「當然。我可是這家書鋪的老闆。」

「一家沒什麼書的書鋪？」畢伯斯說。

「沒什麼書？這些壓著我的，掉了滿地的通通都是書。」

張大俠和畢伯斯合力把架子抬起來，潘玉珊把他拉出來。那人不急著檢查自己的傷勢，也不看屋子哪裡塌了，氣急敗壞的指著畢伯斯大

哪來的書？我只有看到一堆爛木片啊！

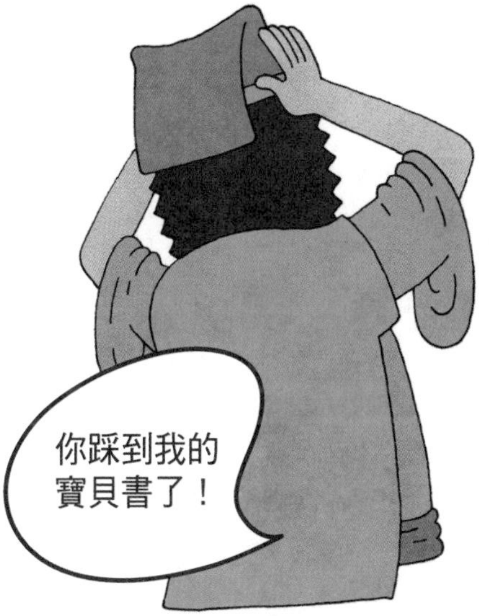
你踩到我的寶貝書了！

叫：「你你你……你小心一點，別再踩著我的書，行嗎？」

書鋪老闆從畢伯斯腳下搶起一片板子：「參差荇菜，左右流之。窈窕淑女，寤寐求之。這麼美的淑女，差點兒被你毀了；這些書，是古人心血的結晶，你們到底懂不懂？」

畢伯斯說：「不懂。」

潘玉珊也不懂，她說：「好了，你出

來了，我們去幫其他人了。」

書鋪老闆張開兩隻手：「不行，你們得先幫我把書救出來，免得地震再來，又把書埋起來了。快快快，架子上面的書先搬。」

這老闆一點兒也不客氣。潘玉珊是攀岩高手，她二話不說爬上架子，從上頭遞了一大卷竹片給畢伯斯。

畢伯斯吐吐舌頭：「好重！」

「智慧就是這麼重！」老闆把書交給張大俠，大俠將書移到屋子外頭。《史記》下是幾十卷的《論語》；《論語》下頭是《春秋》和《尚書》。救出來的書疊起來有半間屋子高。

「難怪你被困在裡頭。」潘玉珊說：「這些書跟磚頭一樣重，你天天跟磚頭睡，太危險了。」

「這你就不懂了，日日有書香為伴，才是全天下最幸福的事。」書鋪老闆跛著腳，抱著書，自豪的說：「這條書店街，就屬我店裡的書最輕最好，字寫得最漂亮。」

畢伯斯吃力的扛起一卷書，說：「最輕最好？」

「沒錯呀。」

畢伯斯不忍心告訴他，在未來的世界，薄薄一片光碟可以放下整部大英百科全書；再放不下還有硬碟，一個硬碟能把整間圖書館的書都收藏進去。

老闆卻很得意的說：「為了製作這麼『輕便』的書，我特別出重金，請最好的師傅幫我剖最薄的竹片，花高價找最好的抄寫員，把書一字一字抄上去。你們說，這樣的書，好不好？」

潘玉珊第一個鼓掌。她慎重的撿起掉落在地上的竹簡，說：「不好意思，誤會你了。」

「真是了不起。」畢伯斯也說。

書鋪老闆搔搔頭說：「沒什麼啦，自己愛書嘛。好了，謝謝你們幫助我，這樣好了，你們想要什麼書，自己拿，別客氣。」

「我們只要一張地圖。」畢伯斯想起他們的任務：找不到東漢地圖，別想回去。

書鋪老闆擺擺手，說：「地圖？我這裡只有書。」

「那麼，我想要一套《史記》。」張大俠說。

畢伯斯說：「死記？我們老師說過，讀書要活用，不能死記。」

張大俠搖搖頭：「《史記》是一本歷史書籍，上頭記載了從洪荒到漢朝所有的歷史，是太史公寫了二十年才完成的鉅著。」

潘玉珊聽到這兒忍不住笑了：「他是太史公，你是太史令，你們兩個是兄弟？」

書鋪老闆一聽，態度變得恭敬了：「太史公是司馬遷的尊稱，太史令是張衡張大人的官名——你是張大人！」

張大俠笑一笑，「沒錯，我是那個做了十幾年的太史令，一直沒升官的傻瓜。」

老闆笑著說：「堅持做自己喜歡的事，這才了不起；就像你愛星星，我愛書。」

潘玉珊下了個評語：「所以你們是兩個傻瓜。」

他們一聽，竟然搭著肩，相視大笑，「沒錯，我們是兩個快樂的傻瓜。」

書鋪老闆突然收起笑容，問：「《史記》是好書，你的牛車呢？」

畢伯斯和潘玉珊同時問：「牛車？」

「《史記》一共有一百三十卷，五十二萬六千五百多字，得要三輛牛車才載得下。」書鋪老闆一臉正經的說：「如果你沒帶車來也沒關係，只要告訴我地址，我明天就請洛陽牛車快運替你拉去。」

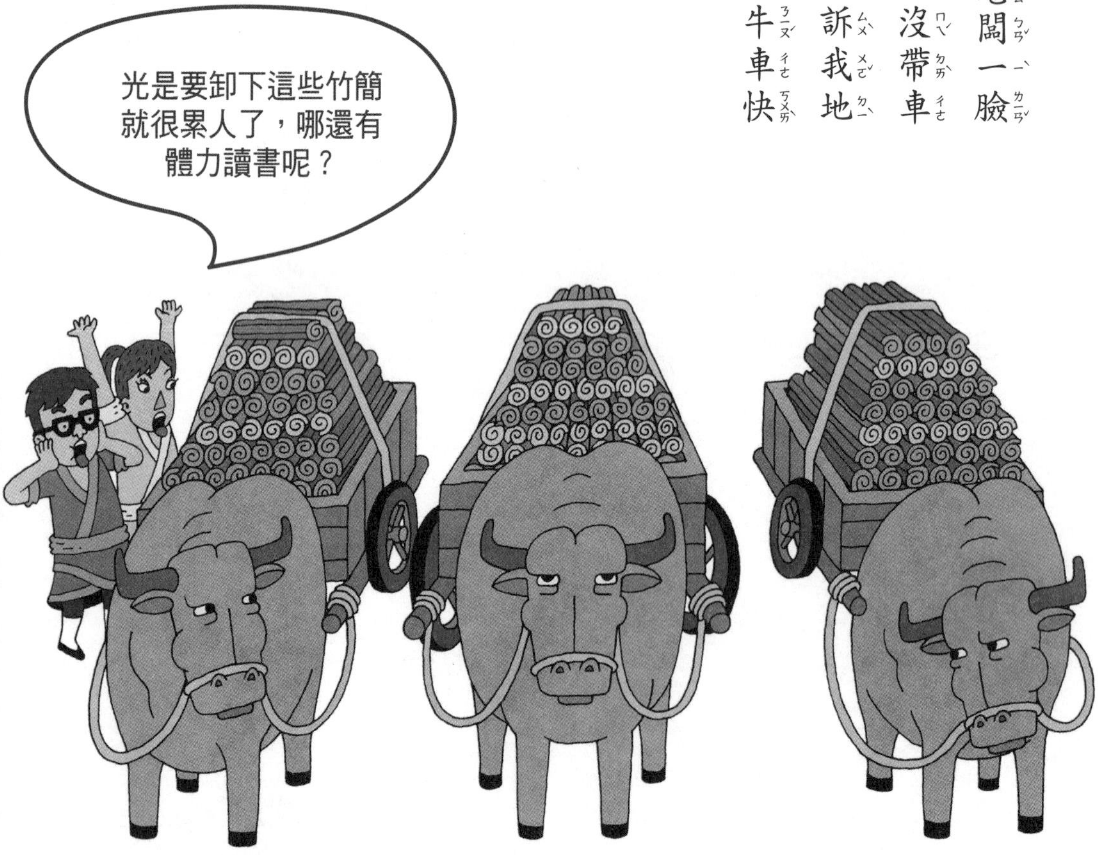
光是要卸下這些竹簡就很累人了，哪還有體力讀書呢？

打造《史記》的司馬遷

司馬遷從小跟隨父親讀了不少書。

除了讀書，司馬遷也遊歷中國大地，在交通不便的時代，他去過會稽，看過大禹召集部落首領開會的地方；到過長沙，在汨羅江邊憑弔屈原；在曲阜，考察孔子講學的遺址；去過漢高祖的故鄉，聽沛縣父老講述劉邦起兵的情況……。後來，司馬遷當了漢武帝的侍從官，奉命出使各地，這些遊歷使司馬遷獲得了大量的知識。

父親死後，司馬遷繼承父親的遺志，準備寫一本記錄從遠古到當時的歷史書。沒想到，一個重大打擊來了：他替將軍李陵辯護得罪了皇帝，不但被關進監獄，還受了宮刑——如果是一般人一定放棄任何希望了。

司馬遷沒有，他想：從前周文王被關在牢裡，寫出《周易》；孔子周遊列國被困在陳蔡，編寫《春秋》；屈原遭到放逐，創作《離騷》；左丘明眼睛瞎了，完成了《國語》；孫臏被剜掉膝蓋骨，開始寫作《兵法》。這些名著，都是作者心裡鬱悶，或者理想行不通的時候，才寫出來的。他為什麼不利用這個時候把這部史書寫好呢？

於是，他從傳說中的黃帝時代開始，一直寫到漢武帝太始二年（西元前九五年）為止的歷史，編寫成為數一百三十篇、五十二萬字的巨大著作《史記》。

這套書語言生動鮮明，被人們當作散文的典範，稱為千古之聖文。直到今天，還有很多人讀它呢。

4 纖細綠竹、蔡頭好逑

書鋪的生意不太好，因為買得起書的人很少。

除了買不起，更大的原因是……

「書太重，搬不動，所以書也不怕偷；小偷就算偷了大半夜，也只能偷走半部書。」張大俠解釋。

書鋪老闆雙手一攤說：「用絲綢寫字既輕又薄，可惜它太貴，一張絲綢，可買半間店；竹子做的竹簡便宜又方便，但是竹簡又重又怕蟲蛀，傷腦筋哪！」

張大俠突然拍著額頭：「想要便宜、輕便，當年蔡倫就在研究這東西。」

潘玉珊問：「蔡倫？」

張衡說：「蔡倫擔任過皇宮的尚方令，專門替皇宮製作器物。當年他做過一種叫做『紙』的東西，又輕又薄。」

「紙？」潘玉珊和畢伯斯同時大叫，「有人發明紙？」

「蔡倫一死，他的紙就不太受重視，皇宮裡的官員嫌它不夠貴重。」張衡說：「聽說他的徒弟蔡頭還在研究這個，就在前面不遠的地方，你們想去看看嗎？」

「我要去。」潘玉珊興奮的舉手。

書鋪老闆沒空陪他們去，他得收拾一屋子亂七八糟的書，他說：「如果蔡頭的東西那麼好，別忘了帶一些回來給我。」

「一定。」張大俠說。

書鋪老闆抱了一捆竹簡過來，「小姑娘、小兄弟，方才多謝幫忙。」

沒什麼好送你們，只好送你們這個……」

他們很開心的接過竹簡，低頭一看，是剛才的《詩經》。

蔡頭住在東北角。畢伯斯一行人騎著馬，穿過洛陽城。

騎馬走在古代的街頭，感覺很特別；畢伯斯坐了一陣子的馬，聽著馬蹄的「達達」聲，覺得自己像劍客，也像詩人。

既然是詩人，那就念詩吧；只是，念什麼呢？

念〈床前明月光〉？不行，寫詩的李白在唐代，他還沒出生。

念〈水光瀲灩晴方好〉詠西湖？也不行，因為蘇東坡生在宋朝。

想來想去，什麼詩也不會，也就只剩下手邊這幾句：

關關雎鳩，在河之洲。窈窕淑女，君子好逑。

出了城，來到溪邊，溪邊有幾間看似家庭工廠的屋子；這些工廠飄著白煙，好多工人拉著牛車，搬著木頭，川流不息的經過他們身旁。

「這是哪裡？他們是誰，他們在做什麼，他們這樣不累嗎？」潘玉珊的問題，大概可以裝滿三牛車。

「這裡是『作坊』，他們是工人，正在工作，做習慣了就不累。」張大俠的知識淵博，沒有問題能考得倒他。

作坊盡頭，圍了一群人，人群中間有個人特別顯眼。

這個時代的男人，臉上都有大鬍子，連張大俠也是，看起來粗獷又神氣；人群中的那個人卻是皮膚白淨，下巴沒有半根鬍鬚。

潘玉珊低聲的說：「如果不是他的刮鬍刀很鋒利，那他就是個太監。」

張大俠翻身下馬，回頭說：「蔡頭雖然是宮裡的太監，卻是個認真做事的好太監。」

「啊？他真的是太監？」

畢伯斯想起來，故事書裡的太監，總是迫害忠良、無惡不作。

作坊裡的工人，有的打赤膊，有的綁頭巾，在酷熱的大鍋爐邊，人人滿身大汗。但眼前的蔡頭，正低頭仔細檢查手裡拿的那幾張像布又像紙的東西。

那優雅的樣子，像是坐在咖啡館裡的詩人。

這種紙還是太脆弱，
到底問題出在哪呢？

張大俠走過去，用力拍著他的肩膀：

「蔡頭，你還在忙呀！」

「唉呀，大俠，你今天怎麼有空來？」

張大俠年紀比較大，鬍子都白了；蔡頭比較小，頂多四十歲，兩個人開心的笑一笑，張大俠這才正經的問：

「你這小子還在研究紙呀？」

「這是我師傅蔡倫大人的遺志嘛，我總希望有更多的人知道它呀。」

趁張大俠在聊天，潘玉珊跑去參觀作坊。她好奇心重，沒研究明白，絕不放過。

作坊裡頭更熱了。有個跟屋子一樣寬的鐵鍋，鍋裡煮了一大堆東西，什麼破布、漁網都有，還有人把晒乾的雜草丟進去煮。

潘玉珊不明白，問：「煮火鍋？在這種大熱天？而且也沒人會吃漁網吧。」

畢伯斯跟爸爸去過埔里，他在埔里的紙廠看過，「他們在造紙。」蔡頭恰好走過來說：「我們現在做的紙，勉強還能寫寫畫畫，只是太薄太脆了，輕輕一扯就斷。想當年，我陪著師傅試過好多材料……」

張大俠笑一笑，說：「哪有這麼容易成功。我做候風地動儀，花了十幾年，你們才用多久時間？」

「蔡倫大人當年說過，要是有個輕便的東西讓人寫字畫畫，人們就不必搬笨重的竹簡，不用買昂貴的絲綢，書的價錢也會更便宜。到時候人人都能買得起書，會有更多人識字讀書。」

潘玉珊把蔡頭做好的紙拿來仔細看。說它是紙，其實比較像是一塊厚厚的千層派，還能看出上頭一層層的纖維；輕輕一扳，那塊「紙」就斷成兩截。

張大俠接過一塊，看了看說：「不成不成，要找點什麼長長的細絲放進去……」

長長的細絲？潘玉珊立刻接話：「張大俠說的是纖維，要找更長的纖維放進去。」

蔡頭兩手一攤：「最早有人用麻造紙，後來，我陪著蔡倫大人試過幾百種材料，從蘆葦、漁網到破衣裳，只要想得到的東西，我們幾乎都會拿來試一試。」

「所以要用長纖維？」畢伯斯想起來，埔里的造紙很有名，是因為那裡有很多甘蔗；甘蔗的纖維很長，做出來的紙才會有韌性。想到甘蔗，他馬上聯想到竹子——竹子和甘蔗都是細細長長的植物，它們的纖維夠長，拿來做紙準沒錯。

「那要去哪裡找竹子呢？」他拿著竹簡，敲著手心，抬頭四望，「上哪兒找呢？」

潘玉珊拍拍他的頭說：「畢伯斯，你找竹子做什麼？」

「造紙要有長纖維，我想竹子的纖維應該夠長，可惜這附近看不到竹林。」

潘玉珊笑著問：「你手上不就有一根現成的竹子？」

「哈哈哈，沒錯沒錯，原來我要的長纖維，就在我手上——真是『纖細綠竹，蔡頭好逑』。」

「你把《詩經》改得亂七八糟，小心書鋪老闆找你算帳。」潘玉珊說。

沒有紙以前的紙

很久很久以前，文字還沒有被發明，想記事情，只能口說。爺爺說給爸爸聽，爸爸說給兒子聽，一代傳一代，這種方法容易出錯；後來有人發明了結繩記事，發生大事就用繩子打個大結，發生小事打小結，時間一久，大結小結亂成一團，誰理得清呢？

發明文字後，想記事情，有各種不同的作法：

有人把字刻在牛骨、龜甲上，刻下來的字很清楚，但是很費勁，卜卦或祭典時才有可能使用它們。

青銅器盛行時，上頭能刻字，只是青銅器很貴，財力雄厚的貴族，才會把事情記在上頭。

最簡便的方法是把字寫在竹片和木片上。木片、竹片取得容易，價格便宜，書寫方便；而且只要在竹片中間打個洞，串起來，就成了一卷一卷的書。在紙還沒發明前，這種書寫方式，大概是最受歡迎的了。

從前人們會用「學富五車」來讚揚一個人學問好，意思是他肚子裡的學問要五輛車才裝得下。事實是，當時沒有紙，學問只能抄在竹片上，一片竹片只能抄寫幾個字；加上當時的車都是牛車或馬車，每輛車能裝的竹簡並不多，所以「學富五車」實際上就只是幾本書罷了。

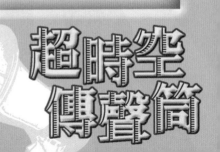

5 試一次不夠，再試一次

作坊裡的鍋爐不斷冒出熱氣，潘玉珊向蔡頭建議：「要不要用竹簡試試看？」

蔡頭問：「用竹簡造紙？」

「竹簡就是竹子做的嘛，竹子的纖維長，應該會成功！」

潘玉珊很大方的把懷裡的竹簡貢獻出來，然後轉頭望著畢伯斯。

「我……我只有這幾根……」畢伯斯退了幾步，把竹簡抓得緊緊的。

潘玉珊搶過他手裡的竹簡遞給蔡頭，蔡頭興奮的把它們丟進沸水裡。

「啊，纖細綠竹，蔡頭好逑……」

畢伯斯的聲音，跟著鍋裡白煙，緩緩上升。鍋裡的麻、破布、漁網和竹簡被煮成一鍋濃稠的乳白漿液。蔡頭撈起一勺漿水，把它們倒在桌子的竹簾上，輕輕的左右搖動；等到水透過細縫往下流後，簾子上留下一層薄薄的纖維。

「好了嗎？」潘玉珊問。

「還沒，還沒。」蔡頭慢條斯理的把竹簾放在爐邊烤著，不一會兒功夫，那層纖維就變成乾燥的片狀物。

「完成囉！」眾人歡呼著。潘玉珊興奮的一剝，「撕」……那層薄片裂成兩大截。

「難道還不行？」畢伯斯失望的說。

「本來就沒那麼簡單。」張大俠說：「天下事總要一試再試，一試不成，再試一次。」

我正在見證歷史上
一項偉大的發明
呢，好榮幸啊～

他說的話，蔡頭懂：「對對對，張大俠說得對，成功沒有快速的馬車道，要多試幾次，多繞幾個彎。」

蔡頭重新再倒一次漿；這回他倒得厚一點，鋪得更均勻一點，慢慢烤乾，輕輕一拉，纖維和簾子緩緩分開。

潘玉珊小心的接過那張「紙」。它看起來很粗糙，速食店的紙袋都比它還要光滑細緻一百倍；但是，這可是貨真價實的紙，以後的人讀書寫字畫畫全都會在這張紙上進行。她的指腹輕輕在紙上來回摩娑。

「真的是一張紙。」她說。

「這本來就是紙呀。」蔡頭說：「想當年我陪著蔡倫大人造紙，我們從什麼都沒有開始想，一樣一樣下去試……」

張大俠拍著他的肩：「有了這種紙，你就發財了。每一張只要賣一枚五銖錢，以後要在洛陽城買幾棟大豪宅都不成問題。」

蔡頭嘆口氣說：「宮裡的大人們都嫌這種紙太麻煩，他們說還是用絹布寫字才好看，要便宜不如找竹簡。」

潘玉珊慎重的把紙交給他，說：「蔡頭大人，那是他們沒眼光；以後，世人一定會用這種紙寫字、畫畫和印書。」

「真的嗎？」

畢伯斯和潘玉珊同時說：「真的，你一定要繼續研究。」

蔡頭拉了拉紙，搖搖頭說：「還有什麼東西會比竹子纖維好呢？」

「樹皮呀。」畢伯斯想起在埔里的紙廠看過簡介。

「我試過了。」蔡頭說。

「或許你試的樹不對。」張大俠給意見，「這世界上有這麼多種樹，你試過幾種？」

蔡頭笑了：「對呀，反正我現在知道，竹子可以做出不錯的紙，用這個當基礎，繼續再改進。」

潘玉珊拉著蔡頭問：「蔡頭大人，你這張紙可以送我們嗎？我們想畫一張東漢的地圖。」

蔡倫造紙

蔡倫生於東漢，時間距離今天大概兩千年。他的父親擔任楚王謀士，楚王被誣謀反，父親與他都受到牽連，使得年僅十二歲的蔡倫被送進皇宮當太監。

蔡倫進宮後用心向學，得到皇帝的重視，可以自由出入皇家的書庫；又升為中常侍，可以參與國家的決策運作。

蔡倫後來當上尚方令，專門監督製造宮中各種用品，他把眼光朝向了「紙」。

為什麼是紙呢？

當時宮中要向各地傳達命令，或各地向皇宮回報消息，都需要書信；這麼多的書信，如果都用竹簡會太重，如果都用布，那又太昂貴了。

在蔡倫之前，其實已經存在一種西漢紙，主要是用麻製成的；只是它過於粗糙，價格也高，蔡倫便決定改良紙。

他先請工匠們挑選出樹皮、破麻布、舊漁網，把它們切碎剪斷，放在一個大水池中浸泡。過了一段時間後，撈起池中的纖維，把它們放進石臼裡不斷的敲打攪拌，直到它們變成漿，然後把漿鋪在竹簾上，乾燥後揭下來就變成了紙。蔡倫帶著工匠們反覆試驗，最後才製出輕薄柔韌、取材容易的紙。

西元一零五年，蔡倫向皇帝進獻他做出來的紙，並把造紙的方法寫成奏摺，得到皇帝的讚賞。九年後，蔡倫被封為「龍亭侯」並在全國各地逐步推行這種紙，人們便把這種紙稱為「蔡侯紙」。

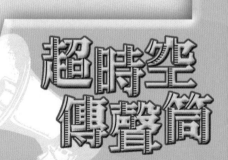

用樹皮作為紙的原料，是蔡倫首創，這個概念一直延續到現在。後來，蔡倫的造紙術沿著絲綢之路經過中亞、西歐向整個世界傳播，對世界文明的傳承和發展有著不可磨滅的貢獻。

6 英雄村看燈影戲

張大俠知道有一個人可以畫地圖。

那人住在班家村，班家村出過一個很有名的英雄。

「搬家村有個大英雄？」潘玉珊問：「搬家村？是家家戶戶都在幫人搬家？搬著搬著就成了英雄？」潘玉珊問。

聽了她的話，張大俠笑得好開心，「搬家？虧你想得出來。」

他們的馬「達達達」走進一個熱鬧的街區。

熱鬧的大街上，處處飄著「班」字旗。唉呀，哪有什麼搬家村，人家這裡住的可是一群姓「班」的人。

張大俠捋著鬍子，得意的瞅著她；潘玉珊嘟著嘴，撇過頭，氣得不想理他。

他們騎到村尾，把馬繫一間小屋子外頭。屋子裡頭很寬闊，屋子中央有幾根竹竿撐起一塊白布，像個簡易的舞臺；白布後頭點了兩盞油燈，屋子裡瀰漫著燈油的味道，香香的、嗆嗆的。

一個瘦皮猴似的老人站在門口，說：「貴客來看戲？」

張大俠說：「我們不看戲，想請你畫地圖。」

「地圖？我哪會畫什麼地圖呢？」

張大俠拍拍他的肩頭說：「你當年陪班超去西域，後來他還派你連絡大秦。我想，普天之下，也只有你才有能力畫好這張地圖。」

老人搖搖頭，「不看戲，不畫地圖。」

畢伯斯問他：「您這裡有什麼戲呢？」

老人很得意的說：「說到戲呀，我的燈影戲堪稱是班家村一絕，不管

燈影戲是目前最新最流行的表演形式，不要錯過了！

是『班英雄投筆從戎』，還是『投筆從戎的班英雄』，都是叫好又叫座的。」

畢伯斯覺得奇怪，「你說的這兩齣戲，好像都是一樣的。」

「客官好耳力，一聽就明白。放心，我這兒還有『精采的班英雄記』和『英雄都姓班』，保證齣齣精采。」

張大俠笑著說：「老甘呀，你別再逗孩子了。你那一千零一齣戲，說的都是同一齣。快開演吧，演完了，趕緊幫他們畫張地圖。」

「我看兩個小娃娃可愛，跟他們說笑嘛。來來來，精采好戲要上場啦。」

大門被人關上，屋子暗了；他走到白幕後，把油燈挑得更亮。鏘鏘鏘的小鑼響起，一個人形皮影躍上白布，開始說故事——

當年，有個名叫班彪的人寫了一本書，
那本書叫做《漢書》。班彪寫著寫著，
書沒寫完就過世了。
班彪的大兒子班固接著父親的遺志，
繼續寫這本書，寫著寫著，班固也過世了。

此時，小鑼急敲幾下，白布邊，一位女生的影子款款登場。

「那是班昭。」張大俠說。

「看戲勿多言。」老甘在幕後說。

這個女娘子就是班昭，是班固的妹妹。班昭接了父兄的工作，終於完成了《漢書》。

戲看到這裡，畢伯斯忍不住打了個長長的哈欠——他愛看戲，但是這麼悶的皮影戲……

沒想到，他的哈欠剛打完，屋子裡同時點起幾盞油燈，幾個大漢抬著一捆一捆的竹簡從後門進來。

老甘站到他們三個觀眾前，抱了抱拳。

「滿場客官來看戲，真讓老甘開心。」樂師敲著鑼，四周的人跟著喊了一聲：「開心哪！」

潘玉珊問：「明明只有我們三個人呀。」

老甘說：「相信各位對這本《漢書》很好奇。」

「好奇呀！」大漢齊聲喊，小鑼鏘鏘鏘。

「現在到底在演哪一齣？」畢伯斯低聲問。

張大俠笑著說：「哪一齣？根本就是老甘想要賣書貼補家用。」

潘玉珊拍拍手說：「我懂了，這是廣告時間。」

果然，大漢把竹簡送到他們面前說：「買一部吧，這麼好的《漢書》，買回家給子子孫孫看。」

張大俠搖搖頭，「太重了，搬不回去。」

老甘笑著補充說：「不重不重，今天買含運費，免費用班家快運牛車送到家。」

潘玉珊也不要，「看戲啦，我們要看戲。」

「行行行，精采的段子，立刻為大家奉上。看官如果臨時想買書，我一律……」

「演戲啦。」潘玉珊大吼著。

老甘這才不甘不願的揮了揮手；頓時油燈撤去，大門關上，黑漆漆的屋裡，那片白布又亮了。

像魔術表演般，一個少年的影子躍上白幕，他唱著自己的名字：我是班超。

班超手裡有枝筆，他一邊抄寫一邊感嘆，為了生活，只能在官府裡做一名抄寫員，「但是，男兒志在四方，不能把生命浪費在這些文書裡。」

鑼聲急，老甘用高亢的聲音唱了起來：

「我雖然沒有什麼奇才計謀，總應該學張騫出使外國，建功立業；不能在這裡當個抄寫員……」

幾個像小丑的皮影人跳出來，圍著班超笑：「小小校書郎，也想出使國外？」

班超舉起筆，清亮的唱著：「你們這班凡夫俗子，豈能了解英雄心志？」

演到這兒，班超把手裡的筆甩了出去：「男兒志在四方，班超做個投筆從戎的好兒郎……」

那枝筆從幕後被人甩到前臺，潘玉珊眼明手快一把接住筆；一時間，屋裡大放光明。

班家英雄多

東漢時，班彪為官，一直未受到皇帝重用。於是他潛心寫史書，一直到死前還未完成。他死後，大兒子班固想完成父親的遺願，就接著往下寫。

古代有專門寫歷史的官員，稱為「史官」，所編修的歷史書稱為「國史」，內容是經過皇帝點頭同意的。私自寫史書可是一件大事，有人密報朝廷，班固因此被捕入獄。幸好班固的弟弟班超學問好，文筆佳，他寫信向官府陳情，表明班固絕無毀謗朝廷的意思，哥哥才獲得釋放。皇帝把班固升為蘭臺令史，命他繼續完成《漢書》。

哥哥在寫書，弟弟班超當抄寫員；兩兄弟都很有學問，可是性格卻很不一樣。班固喜歡研究百家學說，專心致志寫《漢書》；班超不願意整日伏在書桌上寫東西，他聽到匈奴不斷侵擾邊疆，掠奪居民和牲口，有一天扔了筆，氣憤的說：「大丈夫應當像張騫那樣到塞外去立功，怎麼能老死在書房裡呢？」

班超投筆從戎後，率領三十六人出使西域，後來率兵平定西域諸國。他在西域三十一年。被任命為西域都護，封為定遠侯。

哥哥班固後來則因為受到牽連，被捕入獄，最後死在獄中。他的《漢書》還是沒寫完，還好，班家小妹班昭出場了——她是中國第一位女歷史學家，幫哥哥把《漢書》剩下的八表和天文志完成。

《漢書》全書一百篇，八十多萬字，是由一個家族共同完成的一大套書，在歷史上是很難能可貴的事。如果有機會，小朋友一定要把這套書找來讀一讀。

超時空傳聲筒

7 投筆從戎紀念筆

突如其來的燈光讓畢伯斯差點睜不開眼，他問：「這下子，又要進廣告了？」

「不知道要賣什麼東西？」潘玉珊說。

老甘從幕後站出來，笑嘻嘻的說：「不賣不賣，這回我們要恭喜小姑娘，得到班超英雄投筆從戎的那枝筆——您只要付上少許的請筆費。」

「請筆費？」

潘玉珊看看手裡的筆，它好像曾被人甩到地上過，看起來筆毛都快掉光了。

「這不是班超的筆。」張大俠搖搖頭。

老甘說：「各位真是有眼無珠，」他壓低音量說：「想當年，班超英雄毅然放棄一切，勇赴沙場；他丟的，不折不扣，千真萬確，正是這枝筆……」

「我不相信。」潘玉珊說。

老甘拍著胸脯保證：「我可是正宗班家的人，班超英雄遇到我，還得叫我一聲二叔呢。」

畢伯斯急忙站好，「原來是英雄的二叔，失敬失敬。」

張大俠不相信，「班超都死了十幾年，他叫你二叔？」

老班解釋：「我是說『如果』，如果他遇見我——哈哈，他現在當然遇不見我嘛。」

張大俠懷疑：「你是他二叔？」

潘玉珊問：「而且你姓甘，他姓班。」

老甘的聲音壓得更低了，畢伯斯和潘玉珊得湊得很近才聽得到：

「千萬別讓外人知道，我可是班超爸爸的表弟的結拜兄弟，因為我有這層極為特殊的關係，才能拿到這枝筆。你們來到英雄村，如果能把這枝筆『請』回家，當成傳家寶也是應該的。」

畢伯斯接過那枝筆，拿起來沉甸甸的；筆桿是一段木頭，木頭一端綁了一小撮胡亂拼湊的筆毛：「要怎樣才能把這枝筆『請』回家？」

老甘很開心：「簡單呀，我們對英雄留下來的筆，當然要心懷感激與感動；把這枝筆請

有了這枝筆，就像有班超的保佑，包準你功成名就。

回家，只要花少少的十枚五銖錢。小兄弟想請幾枝回家呀？」

「幾枝？班超當年是投了幾枝筆出去？」

「當然只有一枝呀。不過，你放心，這枝筆雖然不是真正當年那枝投筆從戎筆，但是我保證，我們班家『筆墨莊』製作的紀念筆，每枝都是幾可亂真，全是根據當年他丟的那枝筆，一比一原尺寸仿製出來。如果你一次『請』三枝，還能獲得免費到投筆從戎廳丟一次筆的體驗。送人大方，自用實在，小兄弟，來三枝吧。」

「我……」畢伯斯搖搖頭。

老甘再拍拍他的肩膀，「我再優待你，三枝八折，算你二十四枚五銖錢，機會有限，要買趁快。」

「二十四枚呀……」

「好吧，算你會砍價，今天賠本大優待，希望班超不要罵我賣太便宜——當然，他也死了那麼久，應該不會爬起來。最後的底價是，三枝六折，十八枚五銖錢，絕不再降價了。」

「聽起來很便宜，但是……」畢伯斯很為難。

「五折，十五枚。」

「我……」

「唉，小兄弟，三折，三枝九枚五銖錢，你『請』它回去了吧。我這個月，連一枝筆都沒被人『請』回去過呀。」老甘說。

潘玉珊替畢伯斯說話：「我們身上連一枚五銖錢也沒有，再便宜我們也買不起呀。」

「沒錢，怎麼不早說呀。旁邊的大爺，買不買呀？」

張大俠終於站起來，說：「老甘，收起你那些騙人的禿頭筆，你的戲到底要不要演下去？」

8 「不入虎穴，焉得虎子」餐

白布又亮了，班超跟著將軍東征西討。

老甘把唱腔一轉，現在唱的是千軍萬馬出征，只是少了點什麼……

畢伯斯立刻衝到幕後，老甘想把他趕出去，說：「小兄弟，你不在前臺看戲，幹麼擠在後臺呢？」

「我來幫你呀，你的戲實在太單調了。」

班超隨將軍出場時，畢伯斯用B-box吹起了號角；軍隊出發，畢伯斯立刻學著馬蹄聲，讓馬「達達達」的跑了起來。

他的加入，讓老甘很好奇，偷偷用眼睛打量著，想看看他是不是在嘴裡藏了一匹馬。

畢伯斯有意要秀自己的口技，連刀鎗砍擊的聲音，都模仿得維妙維肖。

老甘朝他點點頭，那意思大概是「了不起」。

畢伯斯也對他笑一笑，趕緊再發出一陣弓弦聲——啊，是箭雨來了。

戲演到這裡，將軍決定給班超一個任務：「你去連絡西域各國，共同對抗匈奴。」

潘玉珊在白幕上，看見班超帶著三十六名勇士出發，他們騎著馬，馬蹄聲達達——那是畢伯斯的傑作；他還發出風沙的聲音，「咻咻」的風，彷彿颳在潘玉珊的臉上。

班超一行人到了西域鄯善，國王接見了他們，本來對他們很客氣，準備好酒好菜，還安排舞孃來跳舞；此時小鑼急敲，鄯善的國王態度一轉，不再給他們好臉色看。原來是匈奴人也派使者來了，他們的隊伍竟然有兩、三百人。

班超原本是想連絡鄯善與漢朝對抗匈奴，但現在……

「不可能成功的。」班超的部下說。

「我們回去吧。」更多人勸他。

班超意氣激昂的說：「不入虎穴，焉得虎子，今天如果不突擊匈奴，我們的任務不但會失敗，更可能喪失性命。」

月黑風高，班超帶著三十六名勇士，在狼嚎聲中——那當然是畢伯斯的神來一叫——他們展開突擊，成功的以少擊多，逼得鄯善王與漢朝結成同盟。

鑼鼓聲突然一停，屋裡的燈光又亮了，幾個人端一個大盤子上來。

「這下子，又要賣什麼了？」潘玉珊覺得又好氣又好笑。一個打扮像是飯堂夥計的人站在前頭，拿起大茶壺，幫他們每人注了一杯茶。

「幾位看官都累了吧，咱們聽了班超英雄的故事，也該喝口茶。今天小店專門為各位貴客準備了班超英雄從西域帶回的『巴旦木』茶，這是您在中原地區找也找不到的高級補品，配上班超英雄抓回來的『不入虎穴，焉得虎子』餐……」

「老虎全餐？」畢伯斯聽得心驚膽跳，「老……虎？」

「是呀，當年班超英雄不是說了嘛，『不入虎穴，焉得虎子』，咱們店裡就有一系列的老虎餐，讓您聽英雄故事，吃英雄全餐。」

潘玉珊生氣的說：「老虎是保育類動物，怎麼能拿來做食物？」

站在一旁的老甘立刻換上笑臉說：「小姑娘心腸好得沒話說。沒錯沒錯，老虎當然不能拿來當全餐。班超英雄『不入虎穴，焉得虎子』的故事，只是本店借來當個招牌。各位放心，本店菜單上的小老虎，絕對不是真老虎。」他把聲音壓低，「老虎的成本太高了，我們的哪用得起呀。但是，請放心，本店採用沼澤林地放牧的優良豬肉，淋上廚師精心調配的醬汁，吃起來絕對有

來一客「英雄限定」的老虎全餐吧！
吃老虎應該被關起來！

老虎的味道；不管是炒虎肝、炸虎心、滷虎掌、燉虎尾巴，包君滿意。」

他熱情的拉著畢伯斯，畢伯斯嚇死了，說：「什麼虎肝虎心虎尾巴，別別別……別找我呀。」

「你們幾個不買筆，也不吃飯？」老甘有點生氣了。

張大俠遞給他三枚五銖錢：「老甘，我們付點看戲費，還是請你幫忙畫張地圖要緊。」

9 英雄的地圖

「你覺得班超是個怎樣的人？」畢伯斯問。

「他是個該勇敢時比誰都勇敢，該冷靜時，比誰都鎮定的人。」

老甘可能是演戲演習慣了，說話時，還會自己敲敲梆子再往下說：

「班超任西域都護時，從不向朝廷裡要錢要糧；憑著他的智慧與勇氣，朝廷不必對西域用兵，就讓西域各國向漢朝稱臣。這種功勞呀……」

「那你呢？」潘玉珊把蔡頭送的紙遞給他。

老甘接過那張紙時，「咦」了一聲，用手摸了摸說：「這不是布，也不是絹；聽說蔡倫造過一種叫『紙』的東西，莫非……」

張大俠點點頭，「就是那種『紙』。」

「果然又輕又方便，如果有這種紙……」他的眼光望向窗外，想了一想，這才拿起那枝投筆從戎紀念筆，先在紙上畫了東漢的地圖，指著某一點：「這是洛陽，我們從這裡跟著班超到了西域，他要回國前，派我去連絡大秦。」

他的筆動得很快，在紙上畫出幾座山，四周圈起幾個國家的名字。

「你說，你到過更西邊的地方？比沙漠還要遠？」潘玉珊問。

「是呀，我們在陸上走了幾個月，翻過一座又一座的山，即使是炎熱的夏天，那些山上也積著雪呢。」

潘玉珊愛爬山，她聽得嚮往了起來，「甘爺爺，哪天有機會，你帶我去爬那些山。」

「你？一個女娃娃爬大雪山哪？」老甘笑了，「我們男人都受不了，你哪行呀？」

班超經營西域

古代中國的航運不發達，想到西方歐洲去，只能走陸路；透過陸路，把中國的絲綢傳到西方，也把佛教引進中國。

走絲路要經過西域各國，漢代所說的西域大約在現在的新疆地區。西域各國圍著一個大沙漠建立，分成南道和北道，穿過沙漠，就能到中亞、西亞各國；但是西域卻長期被匈奴控制。

西漢時期，張騫出使西域，成功打通絲路南北二道，把西域的葡萄、石榴傳入中國，也讓中國絲綢經由西域，透過中亞、西亞的商人賣到地中海。

西漢末年，中國動盪，無力經營西域，絲路又重回匈奴人手裡；一直到班超投筆從戎，跟著大將軍竇固出擊。西元七三年，班超奉命帶三十六人出使西域，他先到鄯善國，以「不入虎穴，焉得虎子」的氣概，率領部下趁夜焚燒匈奴使者的營幕，殺了匈奴使者，降服了鄯善；並以這一戰，展開了他長期在西域的生活。

班超只帶少少的三十六名勇士，先後讓于闐、疏勒歸順，絲路南道重新開通。只是，朝廷擔心班超孤立無援，想把他召回國。南道的國家很驚恐，因為班超一走，匈

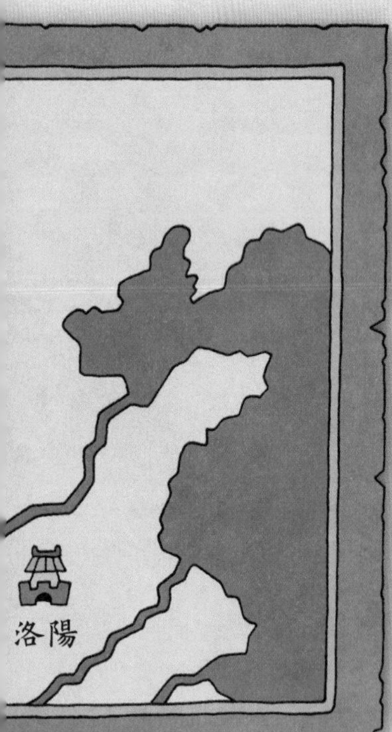

奴一定會展開報復，他們苦苦哀求著：「我們把大漢當成父母，你們絕不能走呀！」班超大受感動，決定留下來，聯合西域各國，攻擊反漢的國家。他除了保住南道對中國的順服，後來又發動西域各國軍隊擊敗大月氏入侵，使整個西域全歸順中國。

班超在西域三十一年，成功的使西域諸國歸順漢朝，開展漢朝版圖，使西域文化持續傳入中國，戰功彪炳。

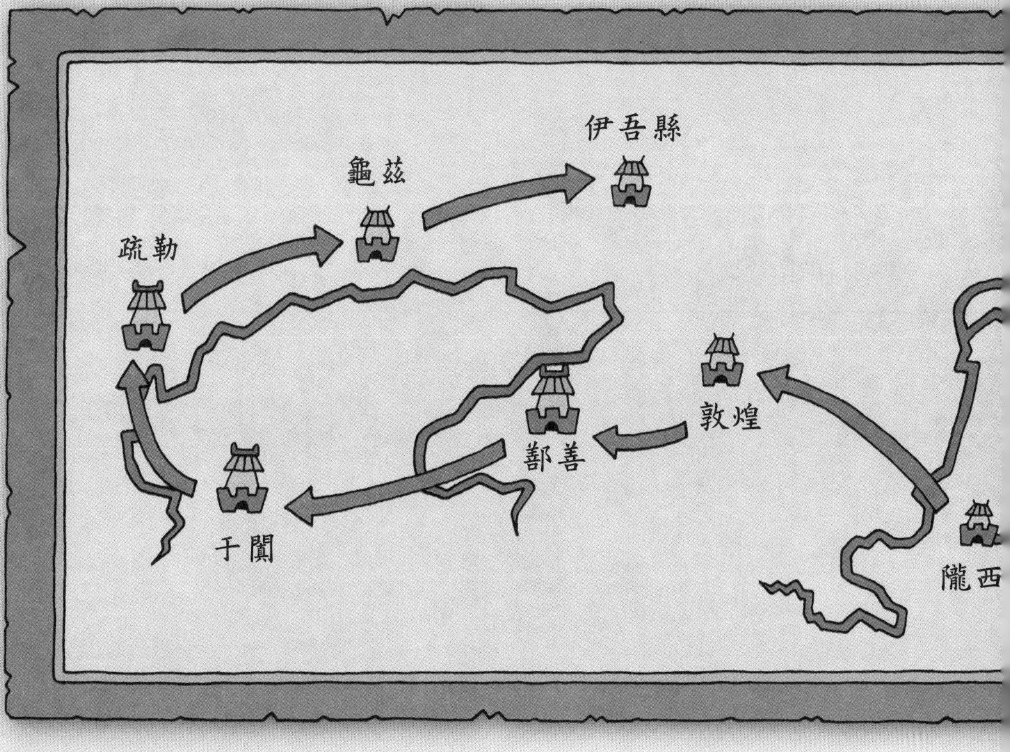

班超出使西域路線圖

「我行的，我從小就跟著爸媽去爬山。」

老甘不相信，以為她在開玩笑，埋頭又在紙上繼續畫：「直到有一天，山的盡頭又是平原了，我想，我們大概把山都爬完了；遇到了平原，又走了一個多月，這才走到海邊。」他的神情有些激動，「聽說大秦國就在海的另一邊，只要過了海，就能連絡到他們。」

「所以你去了嗎？」畢伯斯問。

「我這輩子第一次看見海呀！哇，你們沒看過海，不知道海是那麼的遼闊，就像個特大號的池塘。往後你們有機會，一定也要去看看海。」

潘玉珊和畢伯斯笑了笑——從可能小學的最高樓就能看見海。不過他們怕說了話，打斷老甘的情緒，只是一個勁兒的點頭，「然後呢？」

「我們在海邊等了幾個月，想等看看有沒有航行的船隻帶我們過海。」

「等到了？」

他搖搖頭，畫筆就停在海邊那條線上，愈畫愈粗：「海邊的人告訴我們，那海很大很大，比我們能想像的還要大，即使在海上走大半年，都不見得過得去；他們還說，海上有種吃人的大怪物，牠們一張口，就能把船給吞掉了。」

老甘說這話時，聲音很驚恐，彷彿他正看到那隻怪物張開了大嘴。

即使是來自二十一世紀的畢伯斯，聽到這兒還是不自覺的把身體一縮，「好可怕！」

潘玉珊不相信，她說：「不可能，沒有那麼大的怪物，你一定被騙了。」

「對呀，我也是回國後，才發覺應該是被

騙了。如果當時我再勇敢一點，租一艘船航向大秦國，說不定今天我也是個英雄，大家都會記得我。」他說到這兒，眼角好像有點溼溼的，看著那張地圖，「我那次去，沒準備什麼禮物好送大秦王，如果當時我送這張地圖去……」

看他的眼神不大對，潘玉珊眼明手快，一把搶過地圖，「你自己再畫一張就好了呀。」

老甘霍然站起身來，說：「那不一樣，我如果帶張『紙』送給大秦國，誰知道大秦王會送我什麼禮物當作回報呢？」他站起來的同時，幾盞油燈突然被人吹熄，很多人在黑暗裡大叫：「別讓他們跑了。」

一直沒出聲的張大俠突然拉著潘玉珊和畢伯斯：「別出聲，往後退到牆壁邊。」

「把那張『紙』給我搶過來。」老甘在黑暗裡喊著。

「是。」老甘的手下喊著。

有好幾次，潘玉珊都感覺有人在她身邊走動。

潘玉珊緊抓著那張地圖，悄悄的蹲到地上。

她身邊的畢伯斯問：「你有拿到地圖嗎？」

「有。」

畢伯斯突然想到，上回去戰國，他拿到地圖後，立刻就回到可能小學了。

那現在……

「拿到東漢的地圖了，為什麼還回不去？」畢伯斯問。

一股風，不知道從那兒吹來……

咻咻咻的吹，就在喊打喊殺的聲音中。

那股風勢強勁——奇怪了，這屋子裡四面的窗戶緊閉，風從哪裡來的呢？

黑暗裡，有隻手拉著潘玉珊——是畢伯斯，他在風裡問著：「大俠，大俠在哪裡呀？」

張大俠的聲音被風吹得斷斷續續的：「我在……別擔心……你們……」

「你說什麼呀？」他們兩個人同時發問。

但是，風卻像永遠吹不完似的，颳著他們不斷往前走。

走呀走呀，明明老甘的燈影戲屋小小的，怎麼走了那麼久，都還走不到盡頭。

走呀走呀，潘玉珊摸到一道牆，牆上貼了一片一片的東西，光滑沁涼。不像東漢的白灰牆，倒像是……

「磁磚」這兩個字在她腦海一閃而過的同時，她又摸到了一個門把；一股極細微的電流，通過門把傳到她的手。

她嚇得放開門把，門卻被人拉開，外頭站著他們的同學——王小薇。

「機車老師在問，你們的地圖到底找到了沒有？再不回去教室，他就要趕著去演唱會彩排了啦。」

甘英連絡大秦

兩千年前，漢朝是當時東方的霸主，西方也有一個強國——羅馬帝國，那時稱做大秦。

班超經營西域時，曾派他的副使甘英出使大秦。

甘英沒有見過海，當他來到波斯灣，見著廣闊的大海，有些膽怯了。他問當地的安息人：「這海有多大，過去要多久？」

安息人告訴他，這海太廣大了，順風還好，若是逆風，恐怕要至少兩年才能渡過去，所以要渡海的人準備好三年的乾糧。

他們的話，讓甘英害怕了：「三年？萬一有個大風大浪的話……」

安息人繼續下猛藥，他們還說，海上有女妖，這女妖只要一唱歌，就會讓人懷念家鄉，紛紛墜海而死。

於是，勇士甘英一聽，一咬牙、一跺腳，頭也不回的離開波斯灣，回國復命去了。

看著甘英離去，安息人笑了。

其實依我們現在的常識來看，通過波斯灣並不需要太多時間，甚至可以走陸路繞過波斯灣。但是，安息人為什麼要騙甘英呢？

主要的著眼點就在經濟利益上。

想當年，絲綢傳到羅馬，羅馬人為之瘋狂，舉世聞名的絲綢之路

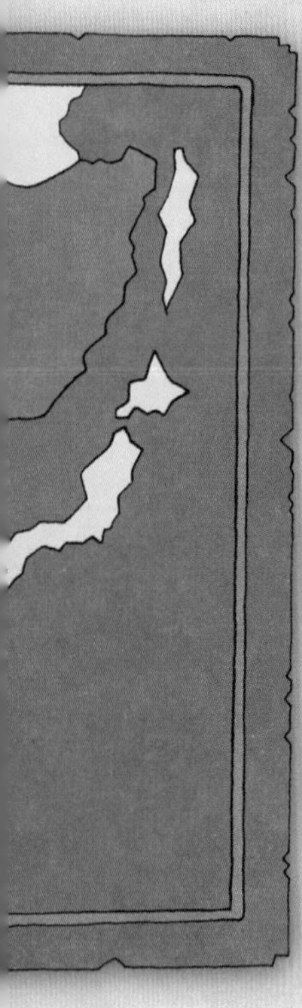

因此產生。安息的位置就在絲綢之路上，他們可以賣絲綢給羅馬，再把羅馬的東西賣給中國；如此好的生意，他們當然不願意讓中國直接與羅馬溝通，所以，編個謊話阻止甘英是最好的選擇。

　　然而，甘英出使也不是毫無建樹，至少他把觸角往西延伸到了波斯灣，等待下一次的交流到來。

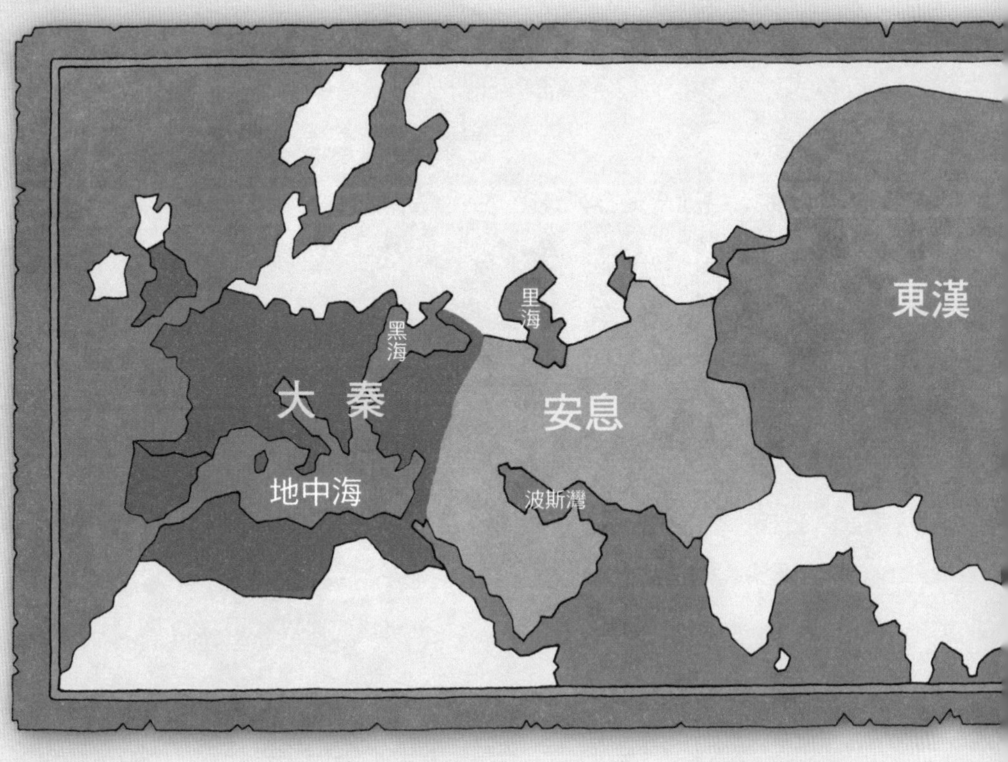

甘英出使西域圖

10 東漢的地圖

「找一張地圖，竟然花了……」機車老師看看錶：「十二首歌、大家聽完一片ＣＤ的時間？」

「那是因為我們幫蔡頭造紙。」畢伯斯說。

「還看了甘爺爺演戲和畫地圖。」潘玉珊說。

「蔡頭？甘爺爺？他們是誰呀？」機車老師問。

底下的同學卻喊著：「老師，你怎麼現在才回來，該唱歌了吧？」

「什麼？老師剛才也不在？」潘玉珊問。

王小薇說：「老師剛才說要去吃早午餐，後來又讓大家下課四十分鐘。」

潘玉珊吃了一驚：「他不在教室？難道……」

機車老師不讓她亂猜，「不好意思，沒吃早餐就沒精神。來來來，同學們，我們來把這張地圖打開……」

那張地圖，是老甘用一枝快禿光了的毛筆畫的，從洛陽出發，向西邊蜿蜒而去；地圖用的紙，還是蔡頭最新實驗改良出來的紙。

機車老師很正經的拿起課本，正經的開始唸著上頭的字：

東漢，是中國歷史上一個大一統的朝代，它定都在洛陽，一共經歷十二個皇帝。

它的科技發展，是中國歷史上的奇蹟。偉大的造紙術，在這個朝代發揚光大；偉大的候風地動儀，在這個朝代被發明。

還有，它對外不靠著強大的武力，只憑一個名叫班超的人，在歷史上留名……

聽到這兒，潘玉珊很自然的回頭望望畢伯斯。那些人名，那些地名，同時間，變得格外親切了起來。

然後，在一個平平板板、照著課本唸的聲音中，潘玉珊竟然有種感覺，她真的去過東漢；而那個聲音，怎麼愈聽……愈像……張大俠呀？

難道老師跟我們一起穿越時空了嗎？
不可能啦，你看他嘴邊還有剛吃的早餐麵包屑呢～

絕對可能會客室

東漢的科學家張衡從小多才多藝，身兼好幾個領域的專家身分；他一生發明了很多機器、儀器，對人類文明有很大的貢獻。到底是什麼養成了張衡一身好本領？一個發明家腦中的奇幻世界到底是什麼樣子？大家一定很想知道吧！

別心急，我們立刻請這位神祕嘉賓上場，跟大家說清楚，講明白！

：歡迎大家收看「絕對可能會客室」。

：在絕對可能會客室裡，會見你想都想不到的人物。

：（驚訝狀）那怎麼可能？

：所以才叫做「絕對可能」呀。

：那今天來的貴賓是……

：剛陪我們去了一趟東漢的張衡，張大俠。

：哇哇哇哇，真的是張大俠來了。

：我們才剛分手，你們就這麼想我啦？

：畢伯斯，請你先跟大家介紹一下張大俠，好讓讀者朋友多了解他。

：張大俠是我的偶像，因為他實在太厲害了。張大俠是東漢人，多才多藝，每一個項目都是專家，他是天文學家、地理學家、數學家、科學家、發明家和文學家。他發明的儀器在故事裡面都有寫了，但是，他寫詩的功力也很高，「漢賦四大家」其中有一個就是他。他研究歷史，找出《史記》和《漢書》的缺失——叫你一聲大俠，真是實至名歸。

：不敢不敢。

：你還少說一樣——張大俠還是一位畫家，他被列為東漢六大畫家之一。唐朝的人說他能用腳趾頭畫怪獸。

：唉呀，你們說的怪獸呀……那只是畫著好玩的。

：畫著好玩，就能成為大畫家，我對你的欽佩更像滔滔江水，連綿不絕了……

：古往今來，有這樣本領的，我看只有義大利的達文西能跟你比。

：達文西？他是誰，我一定要去好好認識他。

：好啊好啊，如果下回絕對可能會客室請到他，一定也請大俠來作陪。

：嗯，主題我都想好了，就叫做「當東方撞到西方」，絕對大受歡迎。

：大俠，我實在很好奇，你為什麼懂這麼多東西？不好意思，是你的腦袋跟我們不一樣，還是你的父母讓你參加一大堆才藝班？

：什麼是才藝班？

：就是去補習班學畫畫、學音樂或是學看星星。

：啊？還有那種班呀！我們家祖先是曾經當過官，也曾經有點家產；但是到了我父親那一代，我們家就沒落了，沒錢了。如果東漢時期有才藝班，我想我父親也無法供應我去上；就算去上課，應該也會常常缺繳學費。

：可是，你多才多藝的本領又是從哪兒來的呢？

：我從小就對萬事都很好奇，喜歡讀書、觀察大自然，遇到不明白的事情，總要弄到懂為止。

：所以，大自然和書，才是你真正的老師，對嗎？

：你如果說「好奇心」和「勤奮」是我的老師，那會更恰當。

：「一顆勤奮的好奇心」？

：沒錯，永保好奇心，永遠在學習。

：聽說你年輕時，曾經有不少人要推薦你出來當官，那麼好的機會，卻都被你推辭了。你家明明缺錢呀，你為什麼不去呢，難道不怕太太罵？

：（苦笑）人一定要當官嗎？我那時只想好好做學問，好好讀書，所以那時我就去當南陽太守的幕僚，幫他寫信，寫文章，賺點生活費。

：後來呢？

：後來太守要到洛陽當官，我不想去，我還是想待在家裡做學問。

：為什麼？

：我的學問還不夠好啊。回家閉門讀書，到了三十四歲時，我終於覺得有把握了，才去洛陽當官。

：我懂了，你後來當太史令，一當也是很多年。

：對，我當了十幾年的太史令。

：大家笑你升不了官，連比你晚當官的人都爬到你頭上成了你的上司，你不會沮喪嗎？

：如果是我，一定向他們說明白，我不想升官，我只愛做太史令。

：浪費時間吵架，還不如多看幾顆星星呢。人家愛笑讓人家去笑，因為他們不懂我想追求的是什麼。

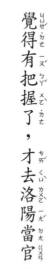

：嗯……跟大俠聊聊天，我好像懂了一點什麼。

：潘玉珊，你懂了什麼？

：我覺得做人就要做自己喜歡做的事。

：（讚賞狀）對，日積月累下來，那些喜歡做的事，就會變成一點也不平凡的事。我們活在世界上的時間有限，如果每天汲汲營營於名利，最後卻什麼也做不成，還不如好好讀幾本書，多想幾個問題。

：（拍拍手）大俠說得真對。告訴你個好消息，因為你在天文學上的成就不凡，世界各國的人都很推崇你喔，特別把月亮背面一座小山用你的名字命名。

：你是說，月亮背面有座「張衡山」？

：對呀。

：可惜，我不是嫦娥，無法奔到月球，看看那座「張衡山」。

：張大俠，現在有火箭也有太空梭，能把人帶上月球再帶回來；甚至在太空中建個太空站，繞著地球轉幾年，轉夠了再下來。你想去月球，願望不難實現。

：（拉著畢伯斯的手，又蹦又跳）真的嘛，真的嘛？太好了，這種火箭在哪裡，你們能帶我去嗎？我想好好研究一下，給我幾年時間，說不定哪天我們就有自己的火箭可以搭。

：還有一個好消息哦，西元一九七七年，太陽系中，一顆編號為一八零二的小行星，也用你的名字來命名。

：滿天星辰裡，有一顆名叫張衡的星星？

：開不開心？

：開心是開心，但是我沒看過，怎麼知道那顆星長得怎麼樣？

：大俠，我們今天現場就準備了一支天文望遠鏡，你可以立刻觀察「張衡星」。

：這支望遠鏡是可能小學最近才買的實驗器材，它採用新式的折反射式光學設計，內含8×21正像十字尋星鏡，更容易對準天體及……大俠，大俠……你不能把望遠鏡分解了呀。

：（拆開望遠鏡）哦，裡頭有好幾片透明的玻璃，有的凸有的凹，這一定有什麼祕密。

：大俠，你不能再把它折了，那是可能小學的實驗器材，我們只是借出來給你……啊，大俠，大俠，你不能把望遠鏡帶走啊，大俠……

：我帶回東漢研究研究……

：大俠……

：各位讀者，不好意思，來賓張大俠拿走了望遠鏡，我的搭檔潘玉珊去追他，我……我也得趕過去幫忙。不好意思，今天的節目就先到這裡，我們下回再見。張大俠，潘玉珊，等等我……

絕對可能任務——

看完了潘玉珊和畢伯斯在漢朝的冒險，
是不是覺得刺激又有趣？
想成為時空冒險旅人中的一員嗎？機會來了！
接下來的任務就交到你手上，
讓不可能的任務成為可能吧！

任務1

東漢重要發明大觀園

教案設計：溫美玉／臺南大學附設實驗小學教師

人物	名稱	外型、特徵（文／圖）	製作過程或當時的貢獻（可條列說明）	現代改良後的狀況
張衡	渾天儀			
	候風地動儀			
蔡倫	紙			

任務2 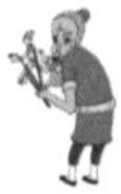 給兩個傻瓜——張衡和蔡倫的創意獎狀

1. 如果你要頒獎給他們兩位，你會設計什麼樣的創意獎狀？（請自行選擇適合紙張）

2. 獎狀上面會寫哪些重要事蹟？你會設計什麼樣的專屬圖案？
（從故事中找出重點，並加上精采圖像）

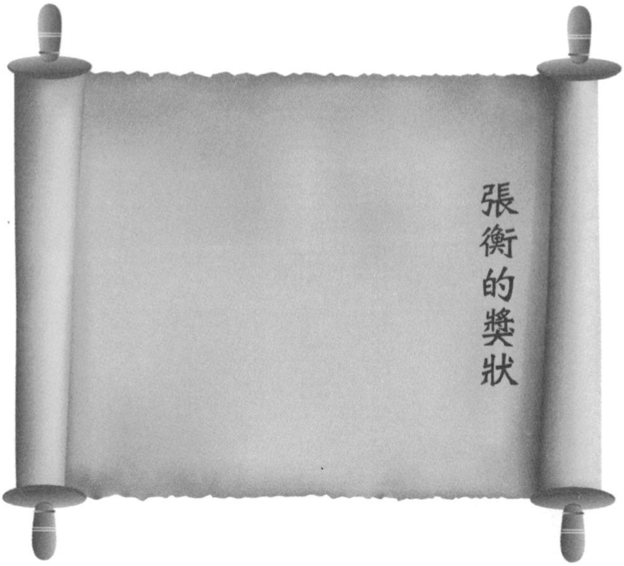

任務3  班家英雄多——從天上捎來的一封信

班彪生前致力於《漢書》的寫作，很遺憾的是未能完成就上了天堂。雖然在天堂日子很悠閒、快樂，卻一直掛記著這本書。還好，他的子女們很爭氣，接力完成這本重要的史書。不只如此，雖然另一個兒子班超「投筆從戎」，參與寫書工作的時間不長，卻用另一個方法報效國家。班彪在天之靈非常感動，想要寫一封信給他的子女。請以班彪的身分寫信給他的子女，信中請包含：

1. 為什麼要堅持寫史書？
2. 得知大兒子的遭遇，當時的情緒反應？為什麼？
3. 對於班超投筆從戎的反應與評價
4. 給三個孩子們個別的悄悄話

親愛的子女：

作者的話

上一堂穿越千古的歷史課

讀國中的時候，我們歷史老師的綽號叫「老祖宗」。

老祖宗當然不姓老，她的年紀也很小，人長得溫柔美麗又大方；會有這麼逗趣的外號，全來自她的第一堂課。

那堂課講五十萬年前的北京猿人。北京猿人是人類的老祖宗，住在周口店，他們那時已經會用火了。如果老祖宗半夜想上廁所，對不起，那時代沒有馬桶，屋裡也沒有電燈，他們得走到山洞外頭解決；「要是一不小心哪……」老師的講課聲音停了一下，純粹想吊我們胃口。

「會怎樣啦？」我們班的肥仔問。

「要是一不小心碰上老虎，老祖宗就成了老虎的消夜囉。」

那堂課，老師左一句老祖宗、右一句老祖宗，她的外號就是這麼來的。

老祖宗的歷史課沒有違和感，她講起課，那些事彷彿昨天剛發生般，在那個還沒人談穿越的年代，我們的歷史課早就在玩穿越了。

例如有一堂課講唐朝，老祖宗不知道去哪兒找來導遊三角旗，帶我們穿越千古，回到唐朝參加她的一日遊行程；從長安春明門進去，經過灞橋風雪，直到唐玄宗的興慶宮……課上完了，長安城的東西南北也全記住了。

又例如她有天早上，帶了一堆食物來，什麼包子饅頭香蕉蘋果橘子的。我們猜老祖宗要請大家吃早餐，她說沒錯，但是要我們先猜猜，哪些食物北宋人吃不到，猜對了，才有賞。

前一天她才教過東西文化交流，後一天就帶食物讓你穿越時空，夠鮮了吧。

等我當了老師，幫小朋友上社會，我也希望孩子別離歷史太遠；古代人的生活，除了科技輸我們之外，其實也跟我們差不多。

他們一樣會生氣，一樣喜歡別人拍馬屁；長安城的房價高得讓人買不起；放假的時候，古人也喜歡去城外郊遊，不想留在城裡堵馬車。

古人的喜怒哀樂，和我們差不多。

因為差不多，我就盡量把小朋友和李白、杜甫畫上等號，人人聽得笑嘻嘻。

這次我又有機會寫「可能小學」，為了這件快樂的事，我又有機會跑大陸。

想要把故事寫好，最好能親臨現場。西安離古代的長安不遠；洛陽是東漢的首都；北宋的首都在開封；這些地方我都去了，站在古人生活過的地方，望著一樣的藍天與太陽，閉上眼睛，我真有一睜眼就能見到李白、杜甫的感覺呢。

啊，要是真能遇到他們一次，該有多好？

於是，我決定了，帶大家回到歷史上的關鍵點：

戰國，我想帶你們認識莊子——那個參透生死，喜歡講故事的道家學派主角。他身處戰國咚咚戰鼓中，會活得如何精采呢？

東漢，造紙術剛被發明出來，那時的人怎麼看待「紙」這種東西呢？東漢還出過一位偉大的科學家張衡，他不但懂科技，也熟天文和書畫詩詞，簡直是十項全能的古人，值得我們走一趟東漢去拜訪他。

北宋有一張名揚千古的畫——清明上河圖；開封有個斷案如神的包青天；平時看畫要去故宮，看包青天得等電視連續劇，現在有機會穿越一下，我也想帶你們到北宋。

最後是元朝。相較其它朝代，元朝奠基於草原，他們是馬背上的蒙古族，只是他們的故事被歷史的雲煙遮蔽太久，趁這時候，我們騎馬馭鷹進元朝，帥不帥？

唐太宗教我們：要把歷史當成一面鏡子，當你面對難題時，想想古時候的人會下什麼樣的判斷：有人做了錯的決定，遺臭千年；有人做了對的選擇，從此青史留名。

親愛的小朋友，當你讀歷史書時，如果能從中汲取一點精華，你這一生必能活得同等精采。

走吧，咱們穿越千古，來上歷史課吧。

審訂者的話

在孩子心中種下探索歷史的種子

劉欣寧／中央研究院歷史語言研究所助研究員

近兩千年前的東漢，對於現代人來說遙遠陌生得難以想像，透過本書中「可能小學」學生潘玉珊、畢伯斯的奇遇，我們有幸一起回到過去，一窺這個時代的面貌。書中所描繪的東漢是一個開創的時代，作者選擇三大主題呈現時代的風采：一是張衡的渾天儀、地動儀等諸多發明，二是蔡倫等人發明改良的紙張，三是班超對西域的經營開拓。利用精采緊湊的情節串起這三大主題，雖充滿知性成分卻絕不無聊、絕無冷場。書中，潘玉珊、畢伯斯帶領我們領略竹簡的使用方式及其笨重不便，如果沒有這一層認識，則無法體會紙張發明的劃時代意義；張衡及班超的成就同樣必須回到歷史場景才能彰顯，這正是本書相對於一般教科書更生動也更傳神之處。家長或師長可以透過本書引導孩子思考歷史發展的軌跡，讓孩子了解今日的物質生活以及對世界的認識皆非理所當然，不是一蹴可幾。

個人以為，歷史童書的價值不在於教導孩子多少歷史知識，而在於啟發孩子對於歷史的興趣。閱讀過程中新奇有趣的感受，都會化為求知的動力，種下探索的種子。或在讀畢的當下急著知道更多，或在多年以後方才慢慢發酵。推薦用心融合知識與趣味的本書，作為孩子入門歷史的最佳讀物。

故事的引力

推薦人的話

林文寶／臺東大學榮譽教授

從小我們就要學習各種生活的基本、知識、技能與情意。而故事是學習的酵素，總是可以讓難入口的知識，變成一道道可口的佳餚。

大部分的學生都認為學習是件苦悶的事，不過如果學生肯扎扎實實的學會學習，學習會是一件快樂的事。

隨著時代的改變，填鴨式的學習已經不在，新的教育講求更多元化的學習，主要幫助孩子培養邏輯思考與理解能力，進而達到快樂的學習。而【可能小學】這一系列知識性作品，強調從故事當中認識歷史，就有這樣的趨勢。

【可能小學】的場景是發生在學校，校園生活故事一直是孩子喜歡的故事，因為與孩子的生活最接近，所以能產生極大的共鳴。若是說看完【可能小學】，學校的考試就沒有問題，這是騙人的；不過，應該可以引發孩子對於歷史的興趣，增強孩子的學習動機。

而這次的【可能小學】新系列，是介紹戰國、東漢、北宋和元朝四個朝代，這四個朝代都是中國燦爛精采的朝代，每個朝代都有其美麗的風景，舉凡飲食、服裝、藝術、文化都與眾不同；因此若能熟悉各個朝代的歷史，相信對於孩子的生活與眼界，一定有所助益。歷史的重要，在於「借鏡」——通過閱讀歷史的過程當中，可以發現前人的智慧，更了解自身文化。

一個喜愛閱讀的孩子，他的眼睛總是雪亮，他的人生絕對比別人更為精采；因為閱讀的關係，使他的眼界遠了，心也寬了。

閱讀絕對根植於生活，知識也是如此，如果能把知識生活化，絕對是學習的祕密武器。在我長期的任教生涯中，發現能夠把知識生活化，而非教育化的時候，學習效果會有不可思議的成長。

那麼，如何把知識生活化呢？首先，我們必須要有個概念：當知識不被使用到的時候，它就是廢物，一文不值，還占腦容量呢！唯有生活化，讓知識與生活連結在一起。當知識能在生活當中被運用，知識才是知識，孩子也在使用知識的過程中，獲得相當的成就感。

當一個孩子可以透過環遊世界，學習每個國家的地理，或者歷史，一定比靠著課本上的平面知識學習的效果，來得好上一百倍；因為歷史不再是冷冰無聊的文字敘述，而是可以摸得到的實際經驗，這就是知識生活化，得到絕佳學習效果的最好例子。

但是並非每個孩子都能有此般環境與經濟條件，不過不用擔心，因為科技的發達，使得孩子可以透過電視、網路等科技媒體得到知識生活化的效果。例如觀看旅遊節目、歷史戲劇，或者現在也愈來愈多偶像歷史劇，都可以達到知識與生活作為連結的方式，讓知識就在我們的生活當中。

王文華的【可能小學】將知識生活化，將許多歷史變成一則則校園的生活事件；他把歷史變成故事的情節，不只活化了歷史，還增添現代感，使得現在的孩子也能輕鬆閱讀。於是在市場上獲得廣大的支持——具時代性，新穎的題材，是他的價值。

【可能小學】系列不只將故事生活化，還將故事趣味化，使得在閱讀的過程當中，相當的愉快，沒有壓力，還能嗅聞到歷史的芬芳，絕對是歷史課本的補充教材，或是引導教材的不二選擇。因為它不是教科書，它是寓教於樂的讀物。

更因為它有生活，有故事。

★ 最嚴謹的審訂團隊：延請中興大學歷史系教授周樑楷、輔仁大學歷史系助理教授汪采燁審訂推薦，為孩子的知識學習把關，呈現專業的多元觀點。

★ 最具主題情境的版面設計：以情境式插圖為故事開場及點綴內文版面，讓孩子身入其境展開一場精采的紙上冒險。

★ 最豐富有趣的延伸單元：

- 「超時空翻譯機」：以「視窗」概念補充故事中的歷史知識，增強孩子的歷史實力
- 「絕對可能會客室」：邀請各文明的重要人物與主角對談，透露不為人知的歷史八卦頭條
- 「絕對可能任務」：由專業教師撰寫學習單，提供多元思考面向，提升孩子的邏輯思考能力

《決戰希臘奧運會》

鍋蓋老師把羅馬浴場搬進校園當成學生的水上樂園，卻發現水停了。劉星雨和花至蘭被指派到控制室檢查水管管線，一陣電流竄過身體，他們發現自己來到古羅馬浴場！他們被迫參加古羅馬競技賽，這下該如何安然躲過猛獸的攻擊呢？

《亞述空中花園奇遇記》

鍋蓋老師執導的古文明舞台劇「兩河流域：肥沃月灣」在水塔劇場公演。劉星雨上台表演前在布幕後睡著了。醒來時，發現置身於一個奇妙的空中花園，還遇到亞述國王正在獵第三百頭雄獅。戰火不斷的亞述帝國還有更多奇遇……

《勇闖羅馬競技場》

為了奪得運動會冠軍，劉星雨與花至蘭出發尋找尋寶單上的五個希臘大鬍子男人；才剛通過夜行館的門，兩人卻發現廣場上有正在被老婆罵的蘇格拉底！雖然順利完成任務，卻也被當作斯巴達的奸細，遭到雅典人的追捕……

《埃及金字塔遠征記》

花至蘭和劉星雨拿著闖關卡，準備參加埃及文化週總驗收。才剛踏出禮堂，兩人立刻被埃及士兵綁架，準備獻給尼羅河神。劉星雨還被埃及祭司認定是失蹤多年的埃及小王子！他該如何證明自己的身分，回到可能小學呢？

全系列共 **4** 冊，各冊 **280** 元。

可能小學的西洋文明任務

結合超時空任務冒險 ╳ 歷史社會學科知識，放眼國際，爲你揭開西洋古文明的神祕面紗！

「什麼都有可能」的可能小學開課囉！
社會科鍋蓋老師點子多，愛辦活動，
這次他訂的主題是「西洋古文明」──
學校禮堂是古埃及傳送門，尼羅河水正在氾濫中；
在水塔劇場演舞台劇，布幕一換，來到了烽火連天的亞述帝國！
動物園的運動會正在進行，跑著跑著，古希臘奧運會就在眼前要開始了；
老師把羅馬浴場搬進學校，沒想到，眞實的古羅馬競技卻悄悄上演……

系列特色

★ 最有「哏」的校園冒險故事：結合快閃冒險 X 時空穿越 X 闖關尋寶，穿越時空回到西方古文明，跟著神祕人物完成闖關任務！

★ 最給力的世界史入門讀物：補充國小階段世界史知識的不足，幫助學生掌握西洋古文明的發展脈絡及重點，累積國中歷史科學習的先備知識。

任務

史百萬小學堂，等你來挑戰！

系列特色

1.暢銷童書作家、得獎常勝軍、資深國小教師王文華的知識性冒險故事力作。
2.融合超時空冒險故事的刺激、校園生活故事的幽默，與臺灣歷史知識，讓小讀者重回歷史現場，體驗臺灣土地上的動人故事。
3.「**超時空報馬仔**」單元：從故事情節延伸，深入淺出補充歷史知識，增強孩子的臺灣史功力。
4.「**絕對可能任務**」單元：每本書後附有趣味的闖關遊戲，激發孩子的好奇心和思考力。
5.國立成功大學臺灣文學系教授、前國立臺灣歷史博物館館長吳密察專業審訂推薦。
6.國小中高年級～國中適讀。

學者專家推薦

我建議家長們以這套書為起點，引領孩子想一想：哪些是可能的，哪些不可能？還有沒有別的可能？小說和歷史的距離，也許正是帶領孩子進一步探索、發現臺灣史的開始。

—— 國立成功大學臺灣文學系教授　**吳密察**

「超時空報馬仔」單元，把有關的史料一併呈現，供對照閱讀，期許小讀者認識自己生長的土地，慢慢養成多元的觀點，學著解釋過去與自己的關係，找著自己安身立命的根基。

—— 國立中央大學學習與教學研究所教授　**柯華葳**

孩子學習臺灣史，對土地的尊敬與謙虛將更為踏實；如果希望孩子「自動自發」認識臺灣史，那就給他一套好看、充實又深刻的臺灣史故事吧！

—— 臺北市立士東國小校長．童書作家　**林玫伶**

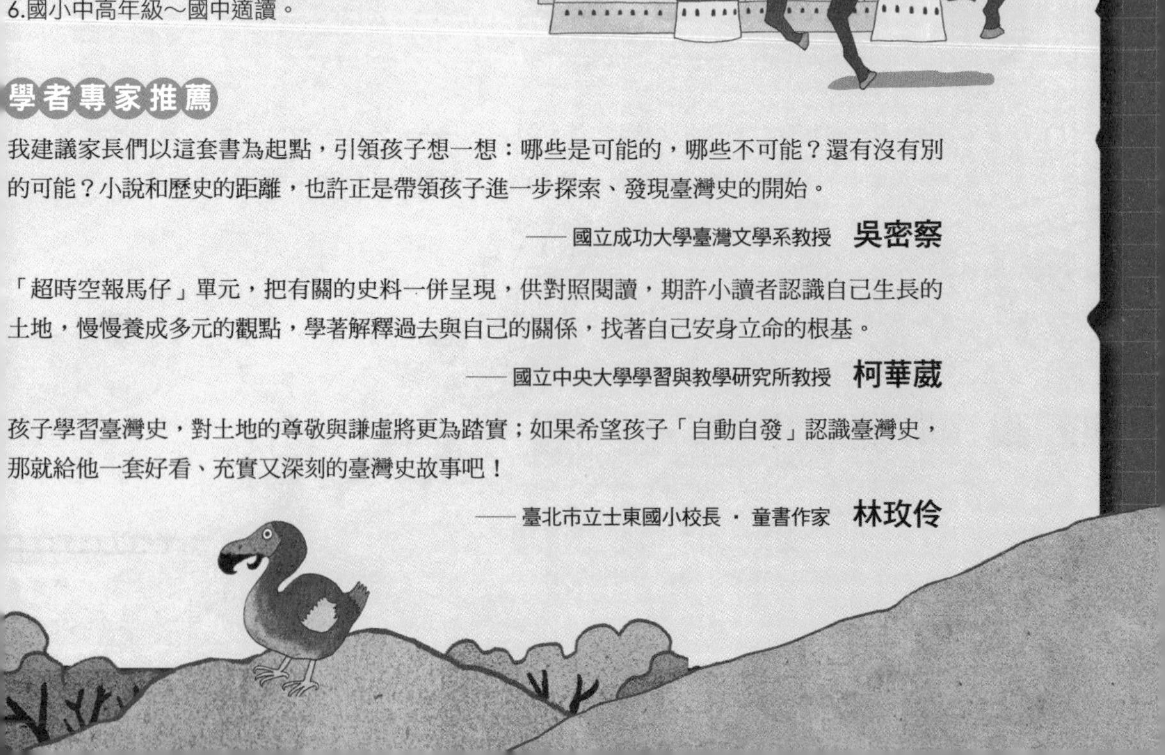

可能小學的歷史任務 II —— 2

達達馬蹄到漢朝

作　　者｜王文華
繪　　者｜L&W studio
圖片提供｜國立自然科學博物館

責任編輯｜許嘉諾
美術設計｜林佳慧
行銷企劃｜陳雅婷

天下雜誌群創辦人｜殷允芃
董事長兼執行長｜何琦瑜
媒體暨產品事業群
總經理｜游玉雪
副總經理｜林彥傑
總編輯｜林欣靜
行銷總監｜林育菁
副總監｜李幼婷
版權主任｜何晨瑋、黃微真

出 版 者｜親子天下股份有限公司
地　　址｜台北市 104 建國北路一段 96 號 4 樓
電　　話｜（02）2509-2800　傳真｜（02）2509-2462
網　　址｜www.parenting.com.tw
讀者服務專線｜（02）2662-0332　週一～週五：09:00~17:30
讀者服務傳真｜（02）2662-6048
客服信箱｜parenting@cw.com.tw
法律顧問｜台英國際商務法律事務所・羅明通律師
製版印刷｜中原造像股份有限公司
總 經 銷｜大和圖書有限公司　電話（02）8990-2588

出版日期｜2015 年 11 月第一版第一次印行
　　　　　2024 年 8 月第一版第二十四次印行
定　　價｜280 元
書　　號｜BKKCE014P
I S B N ｜978-986-92261-0-3（平裝）

訂購服務
親子天下 Shopping ｜ shopping.parenting.com.tw
海外・大量訂購｜ parenting@cw.com.tw
書香花園｜台北市建國北路二段 6 巷 11 號　電話（02）2506-1635
劃撥帳號｜ 50331356 親子天下股份有限公司

國家圖書館出版品預行編目資料

達達馬蹄到漢朝 / 王文華文 ; L&W studio 圖 .
-- 第一版 . -- 臺北市 : 親子天下 , 2015.11
144 面 ; 17x22 公分 . -- (可能小學的歷史任務 . II ; 2)

ISBN 978-986- 92261-0-3 (平裝)

859.6　　104018686